쓰면서 강해지는
초등 영문법
4
종합 테스트

날짜	이름	맞힌 개수
⊙ 날짜	⊙ 이름	⊙ 맞힌 개수
		/ 20개

1 다음 동사의 과거형이 잘못 짝지어진 것을 고르세요.

① go — went
② cut — cut
③ play — plaied
④ drop — dropped
⑤ wash — washed

[2~4] 다음 빈칸에 들어갈 말로 알맞은 것을 고르세요.

2

Jake _____ the letter last week.

① write
② read
③ writes
④ reads
⑤ reading

3

Eddy and Tony _____ sitting on the bench

[6~7] 다음 빈칸에 들어갈 말로 알맞지 않은 것을 고르세요.

6

Hailey is the _____ in the town.

① cutest
② taller
③ richest
④ smartest
⑤ most popular

7

I had lunch with Simon _____ .

① last week
② yesterday
③ tomorrow
④ last night
⑤ two hours ago

8 다음 밑줄 친 말과 바꿔 쓸 수 있는 것을 고르세요.

KB052876

11

다음 표의 내용과 일치하지 <u>않는</u> 것을 고르세요.

이름	Jessy	Mike	Sally
나이	9살	14살	12살

① Mike is older than Jessy.

② Sally is younger than Mike.

③ Jessy is younger than Sally.

④ Sally is the oldest of the three.

⑤ Jessy is the youngest of the three.

12

다음 우리말과 뜻이 같도록 빈칸에 알맞은 말을 고르세요.

• 날이 매우 추워서 나는 창문을 닫았다.

It was very cold, _____ I closed the window.

① or

② but

③ so

④ and

⑤ because

16

다음 문장을 과거진행형 문장으로 바꿔 쓰세요.

Thomas cried in his room.

17

다음 문장을 What을 사용한 감탄문으로 바꿔 쓰세요.

It is a very expensive necklace.

18

다음 빈칸에 들어갈 알맞은 부가의문문을 쓰세요.

Your brother is in the library, _____?

[13~15] 다음 밑줄 친 부분이 잘못 쓰인 것을 고르세요.

13

① Wash your hands, do you?
② She is a soccer player, isn't she?
③ Let's not take pictures, shall we?
④ You can speak French, can't you?
⑤ They didn't go swimming, did they?

14

① She was my English teacher last year.
② He found his eraser under the desk.
③ Justin taked a taxi to the airport.
④ Ben and I were 10 years old in 2020.
⑤ They planted many trees in the garden.

15

① It will be cloudy tomorrow.
② Eric won't buys that camera.
③ We are going to stay there for six days.
④ Amy is going to watch a movie tonight.
⑤ They are not going to visit the museum.

19 다음 우리말과 뜻이 같도록 빈칸에 들어갈 알맞은 말을 쓰세요.

• 그의 가방은 내 가방보다 더 무겁다. (heavy)

His bag ＿＿＿＿＿＿＿ my bag.

20 다음 우리말과 뜻이 같도록 주어진 단어를 사용하여 문장을 완성하세요.

• 나의 손은 크지만 나의 발은 작다.

(hands / big / feet / small)

정답은 뒷장의 학습계획표 아래쪽에 있어요.

① can ② will
③ was ④ were
⑤ are going to

We will clean the classroom next Thursday.

① can ② were
③ should ④ is going to
⑤ are going to

6

다음 빈칸에 들어갈 말이 바르게 짝지어진 것을 고르세요.

• Matt _____ tired last night.
• _____ you ride a bicycle yesterday?

① isn't — Do ② isn't — Did
③ wasn't — Did ④ wasn't — Do
⑤ weren't — Did

4

We are going to _____ a party tomorrow.

① have ② has
③ had ④ having
⑤ will have

5

다음 우리말을 영어로 바르게 쓴 것을 고르세요.

우리는 매우 바빠서 그를 도와줄 수가 없다.

① We can't help him or we are very busy.
② We can't help him so we are very busy.
③ We can't help him and we are very busy.
④ We can't help him but we are very busy.
⑤ We can't help him because we are very busy.

10

다음 빈칸에 들어갈 말이 많이 나머지와 다른 것을 고르세요.

① _____ hot this soup is!
② _____ big your shoes are!
③ _____ high the bird flies!
④ _____ beautifully you dance!
⑤ _____ cute puppies they are!

Study Plan! 2달 만에 한 권 완성하기 ④

★ 하루에 45분씩, 주 5일 학습 기준입니다. 계획표에 적힌 날짜별 학습 목표에 맞춰 공부해 보세요.

Week 1	Day 1	Day 2	Day 3	Day 4	Day 5
Unit 1	Lesson 1 개념 확인 Step 1	Step 2 Step 3 Step 4	Lesson 2 개념 확인 Step 1	Step 2 Step 3 Step 4	실전 테스트 Workbook
Week 2	Day 1	Day 2	Day 3	Day 4	Day 5
Unit 2	Lesson 1 개념 확인 Step 1	Step 2 Step 3 Step 4	Lesson 2 개념 확인 Step 1	Step 2 Step 3 Step 4	실전 테스트 Workbook
Week 3	Day 1	Day 2	Day 3	Day 4	Day 5
Unit 3	Lesson 1 개념 확인 Step 1	Step 2 Step 3 Step 4	Lesson 2 개념 확인 Step 1	Step 2 Step 3 Step 4	실전 테스트 Workbook
Week 4	Day 1	Day 2	Day 3	Day 4	Day 5
Unit 4	Lesson 1 개념 확인 Step 1	Step 2 Step 3 Step 4	Lesson 2 개념 확인 Step 1	Step 2 Step 3 Step 4	실전 테스트 Workbook

Week 1	Day 1	Day 2	Day 3	Day 4	Day 5
Unit 5	Lesson 1 개념 확인 Step 1	Step 2 Step 3 Step 4	Lesson 2 개념 확인 Step 1	Step 2 Step 3 Step 4	실전 테스트 Workbook
Week 2	Day 1	Day 2	Day 3	Day 4	Day 5
Unit 6	Lesson 1 개념 확인 Step 1	Step 2 Step 3 Step 4	Lesson 2 개념 확인 Step 1	Step 2 Step 3 Step 4	실전 테스트 Workbook
Week 3	Day 1	Day 2	Day 3	Day 4	Day 5
Unit 7	Lesson 1 개념 확인 Step 1	Step 2 Step 3 Step 4	Lesson 2 개념 확인 Step 1	Step 2 Step 3 Step 4	실전 테스트 Workbook
Week 4	Day 1	Day 2	Day 3	Day 4	Day 5
Unit 8	Lesson 1 개념 확인 Step 1	Step 2 Step 3 Step 4	Lesson 2 개념 확인 Step 1	Step 2 Step 3 Step 4	실전 테스트 Workbook

종합 테스트 정답

1 ③   **2** ②   **3** ④   **4** ①   **5** ⑤   **6** ②   **7** ③   **8** ⑤   **9** ③   **10** ⑤   **11** ④   **12** ③   **13** ①
14 ③   **15** ②   **16** Thomas was crying in his room.   **17** What an expensive necklace it is!   **18** isn't he
19 is heavier than   **20** Your hands are big, but your feet are small.

Study Check! 나의 학습 기록하기

★ 공부한 날짜를 적고 학습을 마친 후에 스티커를 붙여 주세요. 복습을 했을 때는 한 번 더 붙이세요.

Week 1	Day 1 (월 일)	Day 2 (월 일)	Day 3 (월 일)	Day 4 (월 일)	Day 5 (월 일)
Unit 1					
Week 2	Day 1 (월 일)	Day 2 (월 일)	Day 3 (월 일)	Day 4 (월 일)	Day 5 (월 일)
Unit 2					
Week 3	Day 1 (월 일)	Day 2 (월 일)	Day 3 (월 일)	Day 4 (월 일)	Day 5 (월 일)
Unit 3					
Week 4	Day 1 (월 일)	Day 2 (월 일)	Day 3 (월 일)	Day 4 (월 일)	Day 5 (월 일)
Unit 4					

Week 1	Day 1 (월 일)	Day 2 (월 일)	Day 3 (월 일)	Day 4 (월 일)	Day 5 (월 일)
Unit 5					
Week 2	Day 1 (월 일)	Day 2 (월 일)	Day 3 (월 일)	Day 4 (월 일)	Day 5 (월 일)
Unit 6					
Week 3	Day 1 (월 일)	Day 2 (월 일)	Day 3 (월 일)	Day 4 (월 일)	Day 5 (월 일)
Unit 7					
Week 4	Day 1 (월 일)	Day 2 (월 일)	Day 3 (월 일)	Day 4 (월 일)	Day 5 (월 일)
Unit 8					

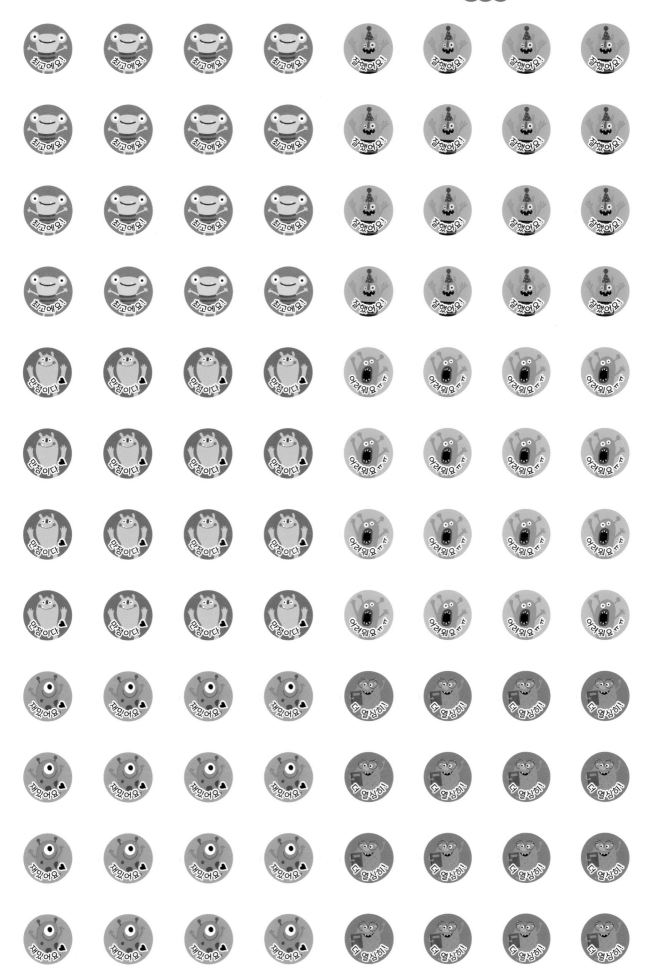

쓰면서 강해지는
초등
영문법 4

Structures 구성과 특징

단계별 학습

1 개념 설명 & 개념 확인

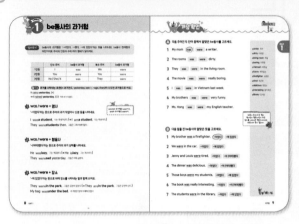

★ 초등 필수 문법 개념을 이해하기 쉽도록 친절하고 자세하게 설명하였습니다. 다양한 예문을 통해 문법이 어떻게 적용되는지를 알 수 있습니다.

★ 본격적인 문제 풀이를 하기 전에 기초적인 선택형 문제를 풀면서 문법의 기본 개념을 잘 이해했는지 확인합니다.

2 STEP 1 & STEP 2

★ 우리말 뜻을 보고 빈칸에 알맞은 말을 쓰는 문제입니다. 문법 개념을 문장에 적용하는 훈련을 통해 문법 규칙을 익힐 수 있습니다.

★ 틀린 부분을 바르게 고쳐 쓰는 문제입니다. 문법의 쓰임의 맞는지 틀린지를 판단하면서 아직 이해하지 못한 부분이 없는지 점검합니다.

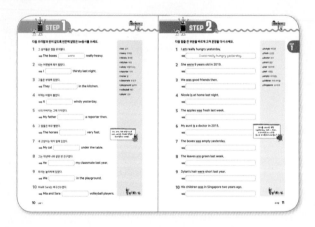

3 STEP 3 & STEP 4

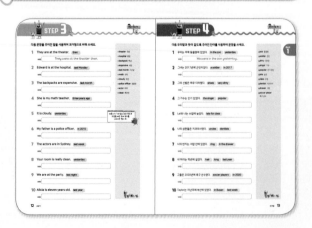

★ 주어진 단어를 배열하여 문장을 완성하거나 지시에 따라 문장을 바꿔 쓰는 문제입니다. 문장 전체를 쓰는 연습을 통해 영어 문장 구조를 자연스럽게 학습할 수 있습니다.

★ 제시된 단어와 우리말 뜻을 보고 문장을 쓰는 문제입니다. 문장 구성 및 영작 능력을 키울 수 있습니다.

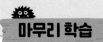

4 실전 테스트

★ 해당 UNIT에서 학습한 내용을 종합적으로
  확인하는 단계로, 다양한 유형의 문제들을
  풀면서 실전 감각을 키울 수 있습니다.

★ 테스트 마지막에 제시되는 서술형 문제를
  통해 문법 응용 능력을 높이고 중학 내신으
  로 이어지는 서술형 학습에 대비할 수 있습
  니다.

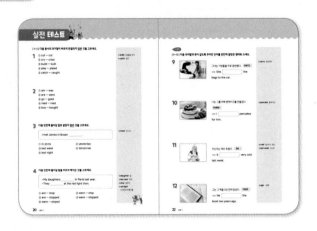

5 워크북 - 단어

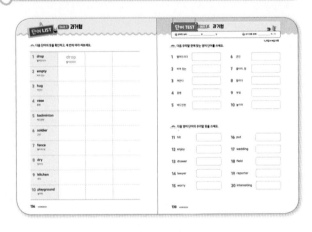

★ UNIT별 단어 리스트를 보면서 중요한 단어
  들을 한 번 더 확인하고, 따라 쓰는 연습을
  하며 단어의 철자와 뜻을 자연스럽게 외우
  게 됩니다.

★ 단어의 스펠링 쓰기와 우리말 뜻 쓰기 테스
  트를 통해 모르는 단어가 없는지 점검하고
  어휘 학습을 마무리 합니다.

6 워크북 - 해석 & 영작

★ UNIT별 핵심 문장들을 우리말로 해석하는
  문제입니다. 문법의 쓰임과 단어의 의미를
  바르게 이해하였는지 확인할 수 있습니다.

★ 문법 개념을 적용하여 영작하는 단계입니
  다. 통문장 쓰기 연습을 통해 영작 실력을
  높이고 문장 구조를 자연스럽게 이해할 수
  있습니다.

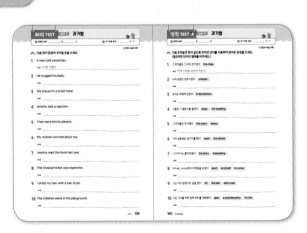

Contents 차례

Curriculum 시리즈 구성

<쓰면서 강해지는 초등 영문법> 시리즈는 학습 단계에 따라 총 4권으로 구성되어 있습니다. 한 권당 8개의 UNIT이 있으며, 각 UNIT이 끝난 후 학습한 내용을 확인할 수 있는 실전 테스트가 수록되어 있습니다. 일주일에 1개의 UNIT씩 학습하여 2달 동안 한 권, 8달 동안 4권 전체를 학습할 수 있습니다.

Preview 알아두기

★ 불규칙 변화하는 일반동사의 과거형

동사원형	과거형
become 되다	became
begin 시작하다	began
break 깨다	broke
build 짓다	built
buy 사다	bought
catch 잡다	caught
choose 고르다	chose
come 오다	came
cut 자르다	cut
do 하다	did
draw 그리다	drew
drink 마시다	drank
drive 운전하다	drove
eat 먹다	ate
fall 떨어지다	fell
feed 먹이다	fed
feel 느끼다	felt
find 찾다	found
fly 날다	flew
forget 잊다	forgot
get 얻다	got
give 주다	gave
go 가다	went
grow 기르다	grew
have 가지다, 먹다	had
hear 듣다	heard
hide 숨기다	hid
hit 치다	hit
hold 잡다	held
hurt 다치다	hurt

동사원형	과거형
know 알다	knew
leave 떠나다	left
lose 잃다	lost
make 만들다	made
meet 만나다	met
put 놓다	put
read 읽다	read[red]
ride 타다	rode
run 달리다	ran
say 말하다	said
see 보다	saw
sell 팔다	sold
send 보내다	sent
sing 노래하다	sang
sit 앉다	sat
sleep 잠자다	slept
speak 말하다	spoke
spend 소비하다	spent
stand 서있다	stood
steal 훔치다	stole
swim 수영하다	swam
take 잡다, 타다	took
teach 가르치다	taught
tell 말하다	told
think 생각하다	thought
throw 던지다	threw
wake 깨다	woke
wear 입다	wore
win 이기다	won
write 쓰다	wrote

UNIT
1

과거형

Lesson 1 be동사의 과거형
Lesson 2 일반동사의 과거형

It rained yesterday.
어제 비가 내렸다.
I took my umbrella.
나는 우산을 가져갔다.

과거형은 현재를 기준으로 그 이전에 일어난 과거의 동작이나 상태를 나타낼 때 쓰여요.

Lesson 1 be동사의 과거형

> **• 알아두기 •** be동사의 과거형은 '~이었다, ~했다, ~에 있었다'라는 뜻을 나타내요. be동사 현재형과 마찬가지로 주어의 인칭과 수에 따라 형태가 달라져요.

	단수 주어	be동사 과거형	복수 주어	be동사 과거형
1인칭	I	was	We	were
2인칭	You	were	You	were
3인칭	He / She / It	was	They	were

Tip 과거를 나타내는 표현(in 과거연도, yesterday, last ~, ~ago, then)이 나오면 과거형으로 써요.

It <u>rains</u> **yesterday**. (×)

→ It <u>rained</u> **yesterday**. (○) 어제 비가 내렸다.

1 was / were + 명사

> am/is의 과거형은 was이고, are의 과거형은 were야.

'~이었다'라는 뜻으로 주어의 과거 직업이나 신분 등을 나타내요.

I **was** **a student**. 나는 학생이었다. (→ I **am** **a student**. 나는 학생이다.)

They **were** **students** then. 그들은 그때 학생이었다.

2 was / were + 형용사

'~(어떠)했다'라는 뜻으로 주어의 과거 상태를 나타내요.

He **was** **lazy**. 그는 게을렀다. (→ He **is** **lazy**. 그는 게으르다.)

They **were** **sad** yesterday. 그들은 어제 슬펐다.

3 was / were + 장소

'~에 있었다'라는 뜻으로 뒤에 장소를 나타내는 말과 함께 쓰여요.

They **were** **in the park**. 그들은 공원에 있었다. (→ They **are** **in the park**. 그들은 공원에 있다.)

My bag **was** **under the bed**. 내 가방은 침대 아래에 있었다.

A 다음 주어진 두 단어 중에서 알맞은 be동사를 고르세요.

1 My mom (was) were a writer.

2 The rooms was were dirty.

3 They was were in the living room.

4 The movie was were really boring.

5 I was were in Vietnam last week.

6 My brothers was were very funny.

7 Ms. Hong was were my English teacher.

Unit **1**

★ writer 작가
★ dirty 더러운
★ living room 거실
★ boring 지루한
★ Vietnam 베트남
★ funny 재미있는
★ firefighter 소방관
★ tired 피곤한
★ delicious 맛있는
★ interesting 흥미로운
★ library 도서관

be동사 뒤에 오는 말이 명사인지 형용사인지 또는 장소를 나타내는 말인지에 따라 be동사의 뜻이 달라져.

B 다음 밑줄 친 be동사의 알맞은 뜻을 고르세요.

1 My brother <u>was</u> a firefighter. (~이었다) ~에 있었다

2 We <u>were</u> in the car. ~이었다 ~에 있었다

3 Jenny and Louis <u>were</u> tired. ~이었다 ~이 (어떠)했다

4 The dinner <u>was</u> delicious. ~이었다 ~이 (어떠)했다

5 Those boys <u>were</u> my students. ~이었다 ~에 있었다

6 The book <u>was</u> really interesting. ~이었다 ~이 (어떠)했다

7 The students <u>were</u> in the library. ~이었다 ~에 있었다

과거형 **9**

 정답과 해설 1쪽

다음 우리말과 뜻이 같도록 빈칸에 알맞은 be동사를 쓰세요.

1 그 상자들은 정말 무거웠다.

➡ The boxes ⬚ were ⬚ really heavy.

2 나는 어젯밤에 목이 말랐다.

➡ I ⬚ thirsty last night.

3 그들은 부엌에 있었다.

➡ They ⬚ in the kitchen.

4 어제는 바람이 불었다.

➡ It ⬚ windy yesterday.

5 나의 아버지는 그때 기자였다.

➡ My father ⬚ a reporter then.

6 그 말들은 매우 빨랐다.

➡ The horses ⬚ very fast.

7 내 고양이는 탁자 밑에 있었다.

➡ My cat ⬚ under the table.

8 그는 작년에 나와 같은 반 친구였다.

➡ He ⬚ my classmate last year.

9 우리는 놀이터에 있었다.

➡ We ⬚ in the playground.

10 Mia와 Sara는 배구선수였다.

➡ Mia and Sara ⬚ volleyball players.

★ box 상자
★ heavy 무거운
★ thirsty 목마른
★ kitchen 부엌
★ windy 바람이 부는
★ reporter 기자
★ then 그때
★ horse 말
★ classmate 반 친구
★ playground 놀이터
★ volleyball 배구
★ player 선수

> am, are, is와 마찬가지로 was, were도 주어의 인칭과 수에 맞춰서 써야해.

정답과 해설 1쪽

다음 밑줄 친 부분을 바르게 고쳐 문장을 다시 쓰세요.

1 I <u>am</u> really hungry yesterday.

➡ I was really hungry yesterday.

2 She <u>were</u> 9 years old in 2019.

➡

3 We <u>was</u> good friends then.

➡

4 Nicole <u>is</u> at home last night.

➡

5 The apples <u>was</u> fresh last week.

➡

6 My aunt <u>is</u> a doctor in 2015.

➡

7 The boxes <u>was</u> empty yesterday.

➡

8 The leaves <u>are</u> green last week.

➡

9 Dylan's hair <u>were</u> short last year.

➡

10 His children <u>was</u> in Singapore two years ago.

➡

- ★ **hungry** 배고픈
- ★ **fresh** 신선한
- ★ **doctor** 의사
- ★ **empty** 비어 있는
- ★ **leaf** 나뭇잎
- ★ **hair** 머리카락
- ★ **short** 짧은
- ★ **children** 자녀, 아이들
- ★ **Singapore** 싱가포르

> 과거를 나타내는 표현
> (yesterday, last ~, then,
> in 과거연도)이 나오면
> 동사도 과거형으로 써야겠지?

과거형 **11**

다음 문장을 주어진 말을 사용하여 과거형으로 바꿔 쓰세요.

1 They are at the theater. then

➡ They were at the theater then.

2 Edward is at the hospital. last Monday

➡

3 The backpacks are expensive. last month

➡

4 She is my math teacher. three years ago

➡

5 It is cloudy. yesterday

➡

6 My father is a police officer. in 2015

➡

7 The actors are in Sydney. last week

➡

be동사가 '~에 있다'라는 뜻으로 쓰였을 때는 뒤에 장소를 나타내는 말이 와.

8 Your room is really clean. yesterday

➡

9 We are at the party. last night

➡

10 Alicia is eleven years old. last year

➡

★ theater 극장
★ hospital 병원
★ backpack 배낭
★ expensive 비싼
★ last month 지난달
★ math 수학
★ cloudy 흐린
★ police officer 경찰관
★ actor (남자) 배우
★ clean 깨끗한

12 UNIT 1

다음 우리말과 뜻이 같도록 주어진 단어를 사용하여 문장을 쓰세요.

1 우리는 어제 동물원에 있었다. `in the zoo` `yesterday`

➡ We were in the zoo yesterday.

2 그녀는 2017년에 군인이었다. `a soldier` `in 2017`

➡

3 그의 신발은 매우 더러웠다. `shoes` `very dirty`

➡

4 그 가수는 인기 있었다. `the singer` `popular`

➡

5 Lei와 나는 어제 수업에 늦었다. `late for class` `yesterday`

➡

6 나의 삼촌들은 치과의사였다. `uncles` `dentists`

➡

7 너의 반지는 서랍 안에 있었다. `ring` `in the drawer`

➡

8 내 머리는 작년에 길었다. `hair` `long` `last year`

➡

9 그들은 2020년에 축구 선수였다. `soccer players` `in 2020`

➡

10 Taylor는 지난주에 부산에 있었다. `in Busan` `last week`

➡

★ zoo 동물원
★ soldier 군인
★ dirty 더러운
★ singer 가수
★ popular 인기 있는
★ late 늦은
★ class 수업
★ dentist 치과의사
★ drawer 서랍
★ long (길이가) 긴
★ soccer player 축구 선수

일반동사의 과거형

> **알아두기** 일반동사의 과거형은 '~했다'라는 뜻으로 과거의 행동이나 상태를 나타내요. 대부분 동사원형에 -(e)d를 붙여서 만들지만 불규칙적으로 변하기도 하고, 주어의 인칭과 수에 영향을 받지 않아요.

대부분의 동사	동사원형 + (e)d	like → liked walk → walked	live → lived wash → washed
「모음 + y」로 끝나는 동사	동사원형 + ed	stay → stayed play → played	pray → prayed enjoy → enjoyed
「자음 + y」로 끝나는 동사	y를 i로 바꾸고 + ed	dry → dried study → studied	carry → carried worry → worried
「단모음 + 단자음」으로 끝나는 1음절 동사	자음을 한 번 더 쓰고 + ed	stop → stopped hug → hugged	plan → planned drop → dropped
불규칙변화	다른 형태	go → went see → saw	come → came make → made
	같은 형태	cut → cut read → read	hit → hit put → put

◆ read : 현재형은 [riːd(리드)]로 발음하고, 과거형은 [red(레드)]로 발음해요.

They **lived** in London. 그들은 런던에 살았다.

We **played** soccer. 우리는 축구를 했다.

I **studied** English hard. 나는 영어를 열심히 공부했다.

He **planned** the trip. 그는 그 여행을 계획했다.

We **went** to the park. 우리는 공원에 갔다.

He **read** the book yesterday. 그는 어제 그 책을 읽었다.

「단모음 + 단자음」으로 끝나는 1음절 동사란? 모음 하나에 자음 하나만 붙어 있는 단어를 말해.

자음은 모음(a, e, i, o, u)을 제외한 나머지 알파벳을 말해.

> **Tip** 음절이란 단어를 발음할 때 생기는 소리의 단위로, 영어에서는 모음의 수가 음절의 기준이 돼요.

- hit[hit] → 1음절
- enter[éntər] → 2음절
- beautiful[bjúːtəfəl] → 3음절

> **Tip** 미래를 나타내는 표현(tomorrow, next week, next year)과 과거형은 함께 쓸 수 없어요.

I bought a new computer **tomorrow**. (×)

→ I bought a new computer **yesterday**. (○)

문제를 풀기 전에 6쪽에 있는 '불규칙 동사 변화표'를 꼭 외워두도록 해~

Unit
1

A 다음 주어진 동사의 과거형을 쓰세요.

현재형	과거형
help	helped
hit	
plan	
clean	
come	
see	

현재형	과거형
make	
stay	
feel	
read	
stop	
carry	

★ plan 계획하다

★ stay 머무르다

★ carry 옮기다, 나르다

★ classroom 교실

★ drawer 서랍

★ enjoy 즐기다

★ drop 떨어뜨리다

★ plate 접시

★ play chess 체스를 두다

★ together 함께

6쪽에 정리되어 있는
불규칙 동사 변화형을
모두 외웠지?
그래야 문제를 풀 수 있어.

B 다음 주어진 두 단어 중에서 알맞은 동사의 과거형을 고르세요.

1 I (ran) runned into the classroom.

2 Jayden drinked drank coffee last night.

3 He put putted keys in the drawer.

4 We really enjoied enjoyed the show.

5 My son dropped droped the plates.

6 They studyed studied science yesterday.

7 David and Andy played plaied chess together.

정답과 해설 2쪽

다음 우리말과 뜻이 같도록 주어진 동사를 빈칸에 알맞은 형태로 쓰세요.

1 그들은 그때 중국어를 말했다. speak

➡ They [spoke] Chinese then.

2 안 선생님은 수학을 가르치셨다. teach

➡ Mr. Ahn [ ] math.

3 나는 지난주에 세차를 했다. wash

➡ I [ ] my car last week.

4 나의 엄마는 은행에서 일하셨다. work

➡ My mom [ ] at a bank.

5 그녀는 펜으로 그녀의 이름을 썼다. write

➡ She [ ] her name with a pen.

6 Ryan과 Hailey는 바닷가에 갔다. go

➡ Ryan and Hailey [ ] to the beach.

7 우리는 어제 배드민턴을 쳤다. play

➡ We [ ] badminton yesterday.

8 Jessica는 상자 몇 개를 날랐다. carry

➡ Jessica [ ] a few boxes.

9 나는 지난 수요일에 꽃병을 깨뜨렸다. break

➡ I [ ] the vase last Wednesday.

10 그는 어젯밤에 숙제를 끝냈다. finish

➡ He [ ] his homework last night.

★ **speak** 말하다

★ **Chinese** 중국어

★ **teach** 가르치다

★ **work** 일하다

★ **bank** 은행

★ **beach** 바닷가, 해변

★ **badminton** 배드민턴

★ **carry** 나르다

★ **break** 깨다

★ **vase** 꽃병

★ **Wednesday** 수요일

★ **finish** 끝내다, 마치다

★ **homework** 숙제

「모음 + y」로 끝나는 동사는 동사원형 뒤에 -ed를 붙이지만 「자음 + y」로 끝나는 동사는 y를 i로 바꾸고 -ed를 써야 해.

다음 밑줄 친 부분을 바르게 고쳐 과거형 문장을 다시 쓰세요.

1 He putted a few books on the desk.

➡ He put a few books on the desk.

2 I buyed a new laptop.

➡

3 Jiyeon sleeps well last night.

➡

4 We planed a camping trip.

➡

5 Janet taked a taxi to the airport.

➡

6 They enjoied the wedding.

➡

7 Justin readed the magazine.

➡

8 He hitted the ball over the fence.

➡

「단모음 + 단자음」으로 끝나는 1음절 동사는 마지막 자음을 한 번 더 쓰고 -ed를 붙여. 하지만 hit, put, cut처럼 불규칙적으로 변화하는 예외도 있으니 주의해.

9 Jordan gived a book to me.

➡

10 She meeted her old friends last week.

➡

다음 문장을 과거형으로 바꿔 쓰세요.

1 We hear the news from our teacher.

➡ We heard the news from our teacher.

2 His sister becomes a lawyer.

➡

3 They wear yellow shirts.

➡

4 His family leaves for Paris.

➡

5 My parents worry about me.

➡

6 The police officer stops the car.

➡

7 She cuts the pizza into eight pieces.

➡

동사의 현재형과 과거형이 같은 형태인 것들도 있어.

8 Carlos and Julia wash the dishes.

➡

9 James rides his bicycle in the park.

➡

10 Natalie waits for her friend at the bus stop.

➡

* hear 듣다
* news 소식, 뉴스
* lawyer 변호사
* yellow 노란색의
* leave for ~로 떠나다
* worry 걱정하다
* police officer 경찰관
* stop 멈춰 세우다, 멈추다
* cut 자르다
* piece 조각
* wash the dishes 설거지하다
* wait for ~를 기다리다
* bus stop 버스 정류장

Unit 1

다음 우리말과 뜻이 같도록 주어진 단어를 사용하여 문장을 쓰세요. (필요하면 단어의 형태를 바꾸세요.)

1 그는 많은 스웨터를 팔았다.   sell   many sweaters

➡ He sold many sweaters.

2 Andrea는 그녀의 아기를 껴안았다.   hug   baby

➡

3 우리는 답을 알고 있었다.   know   the answer

➡

4 Lisa가 그 그림을 그렸다.   draw   the picture

➡

5 오늘 아침에 비가 내렸다.   rain   this morning

➡

> 시간, 요일, 날짜, 날씨, 거리, 명암 등을 표현할 때 비인칭주어 It을 사용해.

6 나는 그의 카메라를 가지고 있었다.   have   camera

➡

7 Henry는 그 소설을 읽었다.   read   the novel

➡

8 Kyle과 Diego는 해변까지 걸어갔다.   walk   to the beach

➡

9 나는 그 빨간 치마를 좋아했다.   like   the red skirt

➡

10 그녀는 그 트럭을 운전했다.   drive   the truck

➡

★ sell 팔다
★ sweater 스웨터
★ hug 껴안다
★ answer 답
★ draw 그리다
★ picture 그림
★ rain 비가 내리다
★ novel 소설
★ beach 해변
★ skirt 치마
★ drive 운전하다

[1~2] 다음 동사의 과거형이 바르게 연결되지 <u>않은</u> 것을 고르세요.

1
① cut — cut
② cry — cried
③ build — built
④ play — plaied
⑤ catch — caught

★ build (건물을) 짓다
★ catch 잡다

2
① am — was
② are — were
③ go — goed
④ read — read
⑤ buy — bought

3 다음 빈칸에 들어갈 말로 알맞지 <u>않은</u> 것을 고르세요.

> I met James in Busan _____.

★ meet 만나다

① in 2019
② yesterday
③ last week
④ tomorrow
⑤ last night

4 다음 빈칸에 들어갈 말을 바르게 짝지은 것을 고르세요.

> • My daughters _____ in Paris last year.
> • They _____ at the red light then.

★ daughter 딸
★ last year 작년
★ stop 멈추다
★ red light
  (신호등) 빨간 불

① are — stop
② was — stop
③ are — stopped
④ were — stopped
⑤ were — stoped

[5~6] 다음 빈칸에 들어갈 말로 알맞은 것을 고르세요.

5

I _____ thirteen years old last year.

① am   ② were
③ was   ④ are
⑤ did

6

We _____ our bikes in the park last weekend.

① ride   ② rides
③ rided   ④ riding
⑤ rode

[7~8] 다음 밑줄 친 부분이 <u>잘못</u> 쓰인 것을 고르세요.

7
① I <u>was</u> happy.
② You <u>were</u> lucky.
③ They <u>were</u> very busy.
④ The woman <u>was</u> a violinist.
⑤ The children <u>was</u> in the playground.

8
① I <u>walked</u> to school next week.
② We <u>watched</u> a movie together.
③ My brother <u>met</u> Alicia last Monday.
④ They <u>listened</u> to the teacher carefully.
⑤ The kids <u>played</u> soccer in the field yesterday.

[9~12] 다음 우리말과 뜻이 같도록 주어진 단어를 빈칸에 알맞은 형태로 쓰세요.

9

그녀는 가방들을 차로 운반했다. **carry**

➡ She _____ the bags to the car.

★ carry 운반하다

10

그는 그 책을 2년 전에 읽었다. **read**

➡ He _____ the book two years ago.

★ ago ~전에

11

지난주는 매우 추웠다. **be**

➡ It _____ very cold last week.

★ cold (날씨가) 추운
★ last week 지난주

12

나는 Ted를 위해 팬케이크를 만들었다.

make

➡ I _____ pancakes for Ted.

★ pancake 팬케이크

UNIT 2

과거형의 부정문과 의문문

Lesson 1 be동사 과거형의 부정문과 의문문
Lesson 2 일반동사 과거형의 부정문과 의문문

be동사와 일반동사의 과거형은 부정문과 의문문의 순서가 현재형과 같아요.
단, 동사의 시제를 각각 과거형으로 바꿔야 해요.

be동사 과거형의 부정문과 의문문

1 be동사 과거형의 부정문　주어 + was/were + not

be동사의 과거형 뒤에 not을 써서 '~가 아니었다, ~하지 않았다, ~에 없었다'라는 뜻을 나타내요.

긍정문	I	was		tired.	나는 피곤했다.
부정문	I	was	**not**	tired.	나는 피곤하지 않았다. (= I **wasn't** tired.)

He **was not** a singer.　그는 가수가 아니었다.

We **were not** poor.　우리는 가난하지 않았다.

They **were not** in the park.　그들은 공원에 없었다.

> **Tip**　was not은 wasn't로, were not은 weren't로 줄여 쓸 수 있어요. 하지만 「주어+ was/were」는 줄여 쓰지 않아요.

2 be동사 과거형의 의문문　Was/Were + 주어 + ~?

주어와 be동사의 위치를 바꾸고, be동사의 과거형으로 대답해요.

평서문		He	was	kind.	그는 친절했다.
의문문	Was	he		kind?	그는 친절했니?

A **Were you** in the library?
너는 도서관에 있었니?

B Yes, I **was**.
응, 그랬어.

A **Was he** sick yesterday?
그는 어제 아팠니?

B No, he **wasn't**.
아니, 그렇지 않았어.

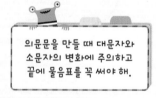
의문문을 만들 때 대문자와 소문자의 변화에 주의하고 끝에 물음표를 꼭 써야 해.

> **Tip**　의문사가 있는 be동사 과거형의 의문문은 「의문사 + was/were + 주어 ~?」 순서로 쓰고, be동사 (was/were)는 주어의 수에 일치시켜요. 대답은 Yes나 No로 하지 않고 질문에 대해 구체적으로 대답해요.

A Who **was your teacher** last year?
누가 작년에 너의 선생님이었니?

B My. Brown was my teacher.
Brown 선생님이 나의 선생님이셨어.

A Where **were they** yesterday?
그들은 어제 어디에 있었니?

B They were in the museum.
그들은 박물관에 있었어.

A 다음 주어진 말 중에서 알맞은 것을 고르세요.

1 I (was not) were not sad.

2 It not was wasn't sunny on Monday.

3 Mason and Emily were not wasn't nurses.

4 They are not weren't at home last week.

5 Mr. Johnson wasn't weren't a doctor.

6 She was not were not in New York last year.

B 다음 대화문에서 알맞은 것을 고르세요.

1 A Was (Were) you tired that day?
B Yes, I was.

2 A Was Is it cold last night?
B No, it wasn't.

3 A Was James your classmate?
B No, he wasn't weren't .

4 A Were you and your sister sick?
B No, we aren't weren't .

5 A Was Judy here yesterday?
B Yes, she was wasn't .

6 A Were you in the hospital last month?
B Yes, I was you were .

Unit
2

★ sad 슬픈

★ sunny 화창한

★ nurse 간호사

★ doctor 의사

★ last year 작년

★ tired 피곤한

★ classmate 반 친구

★ sick 아픈

★ here 여기에

★ hospital 병원

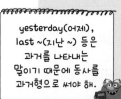
yesterday(어제),
last ~(지난 ~) 등은
과거를 나타내는
말이기 때문에 동사를
과거형으로 써야 해.

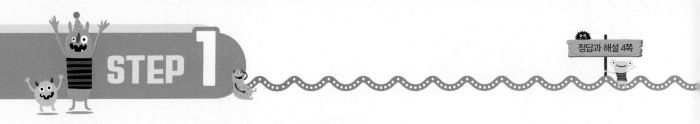

다음 우리말과 뜻이 같도록 빈칸에 알맞은 말을 쓰세요.

1 그는 체육관에 있지 않았다.

➡ He ┃ was not[wasn't] ┃ in the gym.

2 나는 목이 마르지 않았다.

➡ I ┃ ┃ thirsty.

3 그들은 나의 부모님이 아니었다.

➡ They ┃ ┃ my parents.

4 어제는 날씨가 흐렸니?

➡ ┃ ┃ it cloudy yesterday?

5 그의 이야기는 사실이 아니었다.

➡ His story ┃ ┃ true.

6 너는 어제 혼자였니?

➡ ┃ ┃ you alone yesterday?

7 John은 어젯밤에 어디에 있었니?

➡ Where ┃ ┃ John last night?

8 그의 고양이들은 뚱뚱하지 않았다.

➡ His cats ┃ ┃ fat.

9 너의 어머니는 배우였니?

➡ ┃ ┃ your mother an actress?

10 너는 지난 달에 하와이에 있었니?

➡ ┃ ┃ you in Hawaii last month?

★ **gym** 체육관

★ **thirsty** 목마른

★ **cloudy** 흐린

★ **story** 이야기

★ **true** 사실인

★ **alone** 혼자인

★ **fat** 뚱뚱한

★ **actress** (여자) 배우

★ **last month** 지난 달

was not은 wasn't로,
were not은 weren't로
줄여 쓸 수 있어.

다음 밑줄 친 부분을 바르게 고쳐 과거형 문장을 다시 쓰세요.

1 <u>Is</u> it hot last summer?

➡ | Was it hot last summer? |

2 Mr. Lee <u>not was</u> my dentist.

➡ | |

3 <u>Was when</u> your birthday?

➡ | |

4 They <u>wasn't</u> in the living room.

➡ | |

5 My eraser <u>were not</u> in the pencil case.

➡ | |

6 <u>Were</u> my wallet on the table?

➡ | |

7 The pants <u>wasn't</u> expensive.

➡ | |

8 <u>Are</u> you late for school yesterday?

➡ | |

9 Her sons <u>was not</u> high school students.

➡ | |

10 <u>Were</u> Benjamin a famous photographer?

➡ | |

- ★ summer 여름
- ★ dentist 치과 의사
- ★ birthday 생일
- ★ living room 거실
- ★ eraser 지우개
- ★ pencil case 필통
- ★ wallet 지갑
- ★ pants 바지
- ★ expensive 비싼
- ★ famous 유명한
- ★ photographer 사진가

Unit
2

의문사가 있는 be동사 과거형의
의문문은 「의문사 + was / were
+ 주어 ~?」 순서로 써.

정답과 해설 4쪽

다음 문장을 지시대로 바꿔 쓰세요. (줄임형으로 쓰지 마세요.)

1 Lucas was a pilot. 부정문

➡ Lucas was not a pilot.

2 The vegetables were fresh. 의문문

➡

3 His brothers were lazy. 부정문

➡

4 The story was interesting. 의문문

➡

5 The test was easy. 부정문

➡

6 My dog was in the yard. 의문문

➡

7 The students were in the classroom. 부정문

➡

be동사 과거형의 부정문은
「주어 + was / were + not」
으로, 의문문은 「was / were
+ 주어 + ~?」로 써야해.

8 You were at the restaurant yesterday. 의문문

➡

9 The soccer game was exciting. 부정문

➡

10 Michael and Peter were lawyers then. 의문문

➡

* pilot 조종사
* vegetable 채소
* fresh 신선한
* lazy 게으른
* interesting 흥미로운
* yard 마당, 뜰
* classroom 교실
* restaurant 식당
* soccer 축구
* exciting 흥미진진한
* lawyer 변호사

Unit
2

다음 우리말과 뜻이 같도록 주어진 단어를 사용하여 문장을 쓰세요.

1 그 소고기는 신선했니? the beef   fresh

➡ Was the beef fresh?

2 그 영화는 슬프지 않았다. the movie   sad

➡

3 그 안경은 나의 것이 아니었다. the glasses

➡

4 그 수프는 뜨거웠니? the soup   hot

➡

5 그는 어젯밤에 집에 있지 않았다. at home   last night

➡

6 그 오리들은 연못에 있었니? the ducks   in the pond

➡

7 그 표들은 무료가 아니었다. the tickets   free

➡

8 너의 부모님은 어디에 계셨니? where   parents

➡

9 그 고양이들은 위험하지 않았다. the cats   dangerous

➡

10 너의 삼촌은 피아니스트였니? uncle   a pianist

➡

★ beef 소고기

★ movie 영화

★ glasses 안경

★ duck 오리

★ pond 연못

★ ticket 표, 입장권

★ free 무료의

★ dangerous 위험한

★ pianist 피아니스트

「was / were + not」은
wasn't / weren't로
줄여 쓸 수 있지만
「주어 + was / were」는
줄여 쓰지 않아.

Lesson 2 일반동사 과거형의 부정문과 의문문

1 일반동사 과거형의 부정문 [주어] + [did not(didn't)] + [동사원형]

조동사 did not 뒤에 동사원형을 써서 '~하지 않았다'라는 뜻을 나타내요.

긍정문	I		went	to school yesterday.	나는 어제 학교에 갔다.
부정문	I	did not	go	to school yesterday.	나는 어제 학교에 가지 않았다.

We **did not play** badminton. 우리는 배드민턴을 치지 않았다.

He **did not eat** breakfast. 그는 아침을 먹지 않았다.

They **didn't work** last Saturday. 그들은 지난 토요일에 일하지 않았다.

did not은
didn't로 줄여 쓸 수 있어.

Tip did not 뒤에는 반드시 '동사원형'을 써야 해요.

He **did not** <u>drew</u> the picture. (×)

→ He **did not** <u>draw</u> the picture. (○) 그는 그 그림을 그리지 않았다.

2 일반동사 과거형의 의문문 [Did] + [주어] + [동사원형] + [~?]

조동사 Do의 과거형인 Did를 주어 앞에 써서 '~했니?'라는 뜻을 나타내고, did를 써서 대답해요.

평서문		Sam	bought	the book.	샘은 그 책을 샀다.
의문문	Did	Sam	buy	the book?	샘은 그 책을 샀니?

A **Did** you **visit** your uncle?
너는 너의 삼촌을 방문했니?

B Yes, I **did**.
응, 그랬어.

A **Did** you **eat** breakfast?
너는 아침을 먹었니?

B No, I **didn't**.
아니, 그러지 않았어.

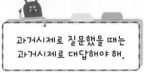
과거시제로 질문했을 때는
과거시제로 대답해야 해.

Tip 의문사가 있는 일반동사 과거형의 의문문은 「의문사 + did + 주어 + 동사원형 ~?」의 순서로 쓰고, 일반동사의 과거형으로 대답해요.

A **Where did** you **go** yesterday?
너는 어제 어디 갔었니?

B I **went** to the museum.
나는 박물관에 갔었어.

Tip be동사 과거형의 의문문과 다르게 일반동사 과거형의 의문문은 주어 뒤에 동사원형이 와요.

Were you **hungry**? → 주어 뒤에 형용사 hungry가 있으므로 be동사 Were를 써요.

Did you **buy** that jacket? → 주어 뒤에 동사원형 buy가 있으므로 조동사 Did를 써요.

A 다음 주어진 말 중에서 알맞은 것을 고르세요.

1 We ~~were not~~ (did not) buy the vase.

2 Carrie ~~wasn't~~ didn't have dinner.

3 You didn't ~~don't~~ live in Seoul in 2017.

4 They didn't ~~were not~~ break the windows.

5 She ~~was not~~ did not write her phone number.

6 Jaewon didn't ~~doesn't~~ go camping last week.

Unit 2

★ vase 꽃병

★ break 깨다

★ phone number 전화번호

★ go camping 캠핑을 가다

★ lunch 점심 식사

★ do the dishes 설거지하다

★ soccer 축구

★ jacket 재킷

★ visit 방문하다

B 다음 대화문에서 알맞은 것을 고르세요.

1 A ~~Was~~ (Did) you have lunch?
  B Yes, I did.

2 A Did Brian do the dishes?
  B Yes, he did ~~didn't~~ .

3 A ~~Do~~ Did they play soccer yesterday?
  B No, they didn't.

4 A Did he buy the jacket?
  B No, he ~~wasn't~~ didn't .

5 A Did ~~Does~~ she visit Korea last year?
  B Yes, she did.

6 A When did ~~were~~ you meet Sam?
  B I met him this morning.

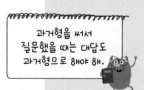

과거형을 써서
질문했을 때는 대답도
과거형으로 해야 해.

과거형의 부정문과 의문문 **31**

정답과 해설 5쪽

다음 우리말과 뜻이 같도록 주어진 단어를 사용하여 문장을 완성하세요.

1 나는 시계를 사지 않았다. `buy`

➡ I [did not[didn't] buy] a clock.

2 Matt은 그의 청바지를 찾았니? `find`

➡ [　　　　　　　　　] his jeans?

3 너는 내 샴푸를 썼니? `use`

➡ [　　　　　　　　　] my shampoo?

4 Thomas는 박물관에 가지 않았다. `go`

➡ Thomas [　　　　　　　　　] to the museum.

5 그는 그 책을 읽었니? `read`

➡ [　　　　　　　　　] the book?

6 Ellis는 오늘 아침에 머리를 감았니? `wash`

➡ [　　　　　　　　　] her hair this morning?

7 우리는 어제 사진을 찍지 않았다. `take`

➡ We [　　　　　　　　　] pictures yesterday.

8 그녀는 빨간 스웨터를 입지 않았다. `wear`

➡ She [　　　　　　　　　] a red sweater.

9 그들은 작년에 그 배우를 만났니? `meet`

➡ [　　　　　　　　　] the actor last year?

10 Paul과 Eva는 모래성을 쌓지 않았다. `build`

➡ Paul and Eva [　　　　　　　　　] a sandcastle.

★ clock 시계
★ find 찾다
★ jeans 청바지
★ shampoo 샴푸
★ museum 박물관
★ wash one's hair 머리를 감다
★ take pictures 사진을 찍다
★ wear 입다
★ sweater 스웨터
★ actor (남자) 배우
★ build 쌓다, 짓다
★ sandcastle 모래성

did not은 didn't로 줄여 쓸 수 있고, 뒤에는 반드시 동사원형을 써야 해.

STEP 2

Unit 2

다음 밑줄 친 부분을 바르게 고쳐 과거형 문장을 다시 쓰세요.

1 <u>Was</u> Emily cook the spaghetti?

➡ Did Emily cook the spaghetti?

2 Ms. Jones <u>does not</u> teach us last year.

➡

3 Did you <u>wrote</u> the letter?

➡

4 They <u>not did</u> carry the box yesterday.

➡

5 Did he <u>solves</u> the math problem?

➡

6 Danny <u>wasn't</u> draw the picture.

➡

7 <u>Did when</u> she hear the news?

➡

8 Jamie didn't <u>brings</u> her textbooks.

➡

9 <u>Do</u> they enjoy the party last night?

➡

10 The train didn't <u>stopped</u> at the next station.

➡

- ★ spaghetti 스파게티
- ★ teach 가르치다
- ★ carry 운반하다
- ★ solve 풀다
- ★ problem 문제
- ★ draw 그리다
- ★ picture 그림
- ★ news 소식
- ★ bring 가져오다
- ★ textbook 교과서
- ★ enjoy 즐기다
- ★ next 다음의
- ★ station 역, 정거장

STEP 3

다음 문장을 과거형으로 바꿔 쓰세요. (부정문은 줄임형으로 쓰세요.)

1 I don't buy a new computer.

➡ I didn't buy a new computer.

2 Do they ride a roller coaster?

➡

3 The cats don't eat the cheese.

➡

4 Julie doesn't go to the bank.

➡

5 When do you wash your car?

➡

6 Does he take a bus to the market?

➡

7 She doesn't wear a blue sweater.

➡

8 Does your sister read the newspaper?

➡

9 They don't play basketball at night.

➡

10 Does Clara eat yogurt in the morning?

➡

★ ride 타다

★ roller coaster 롤러코스터

★ bank 은행

★ market 시장

★ sweater 스웨터

★ newspaper 신문

★ basketball 농구

★ yogurt 요거트

★ morning 아침

의문사가 있는 일반동사 과거형의 의문문은 「의문사 + did + 주어 + 동사원형 ~?」 순서로 써.

다음 우리말과 뜻이 같도록 주어진 단어를 사용하여 문장을 쓰세요.

★ baseball 야구
★ find 찾다, 발견하다
★ puppy 강아지
★ lie 거짓말하다
★ Africa 아프리카
★ hear 듣다
★ order 주문하다
★ get up 일어나다
★ lose 잃어버리다

Unit 2

1 그들은 어제 야구를 했니? play baseball   yesterday

➡ Did they play baseball yesterday?

2 Mike는 그의 강아지를 찾았니? find   his puppy

➡

3 그는 나에게 거짓말을 하지 않았다. lie   to me

➡

4 Alicia는 소파에서 잤니? sleep   on the sofa

➡

5 그녀는 아프리카에 살지 않았다. live   in Africa

➡

> 일반동사 과거형의 부정문은 「주어 + did not[didn't] + 동사원형」 순서로 쓰고, 의문문은 「Did + 주어 + 동사원형 ~?」 순서로 써.

6 너는 그 소식을 들었니? hear   the news

➡

7 우리는 사과 주스를 주문하지 않았다. order   apple juice

➡

8 너와 네 남동생은 일찍 일어났니? get up   early

➡

9 Nick과 Betty는 돈을 잃어버리지 않았다. lose   their money

➡

10 나는 지난주에 학교에 가지 않았다. go to school   last week

➡

실전 테스트

[1~4] 다음 빈칸에 들어갈 말로 알맞은 것을 고르세요.

1

> They _____ in the park three hours ago.

① aren't ② wasn't
③ weren't ④ don't
⑤ didn't

★ park 공원
★ ago ~전에

2

> _____ you healthy last year?

① Is ② Are
③ Did ④ Was
⑤ Were

★ healthy 건강한

3

> He _____ the letter last month.

① isn't send ② wasn't send
③ didn't send ④ didn't sent
⑤ doesn't send

★ send 보내다

4

> What _____ you make for dinner yesterday?

① were ② are
③ do ④ did
⑤ does

★ make 만들다
★ dinner 저녁 식사

정답과 해설 6쪽

5 다음 빈칸에 알맞은 말을 바르게 짝지은 것을 고르세요.

> • Anna _____ in New York last Friday.
> • I _____ do my homework yesterday.

① is — do
② was — do
③ didn't — didn't
④ wasn't — didn't
⑤ doesn't — wasn't

★ homework 숙제

6 다음 빈칸에 공통으로 알맞은 것을 고르세요.

> • Jina _____ not buy that skirt yesterday.
> • _____ they go to the museum last Saturday?

① is (Is)
② are (Are)
③ do (Do)
④ did (Did)
⑤ does (Does)

★ buy 사다
★ skirt 치마
★ museum 박물관

[7~8] 다음 밑줄 친 부분이 잘못 쓰인 것을 고르세요.

7
① I wasn't sad at all.
② Are you a solder in 2016?
③ He didn't think about that.
④ Did you buy that shirt?
⑤ How did you go to the amusement park?

★ at all 전혀
★ soldier 군인
★ think 생각하다
★ amusement park 놀이공원

8
① She wasn't thirsty.
② Was the movie boring?
③ Did Jessica want that bag?
④ What do you wear last night?
⑤ We didn't play soccer after school.

★ thirsty 목마른
★ boring 지루한
★ after school 방과 후에

[9~12] 다음 우리말과 뜻이 같도록 주어진 단어를 사용하여 문장을 완성하세요.

9

너는 어제 피곤했니? **tired**

➡ [   ]

yesterday?

★ tired 피곤한

10

그녀는 작년에 수학을 가르치지 않았다.

teach

➡ She [   ]

math last year.

★ teach 가르치다
★ math 수학

11

Tony는 2년 전에 요리사가 아니었다.

a chef

➡ Tony [   ]

two years ago.

★ chef 요리사

12

너는 지난 주말에 아빠와 낚시하러 갔니?

go fishing

➡ [   ] with

your dad last weekend?

★ go fishing
  낚시하러 가다
★ weekend 주말

UNIT 3

과거진행형

Lesson 1 과거진행형의 의미와 형태
Lesson 2 과거진행형의 부정문과 의문문

과거진행형은 과거 한 시점에 진행 중이었던 동작을 나타내며, '~하고 있었다'라는 뜻을 나타내요.

Lesson 1 과거진행형의 의미와 형태

1 과거진행형 주어 + was / were + 동사원형 -ing

'~하고 있었다'라는 뜻으로, be동사의 과거형(was / were)은 주어의 수와 인칭에 따라 달라져요.

I **baked** chocolate chip cookies. 나는 초콜릿 칩 쿠키를 구웠다.

→ I **was baking** chocolate chip cookies. 나는 초콜릿 칩 쿠키를 굽고 있었다.

You **looked** in the mirror. 너는 거울을 봤다.

→ You **were looking** in the mirror. 너는 거울을 보고 있었다.

She **did** her homework. 그녀는 숙제를 했다.

→ She **was doing** her homework. 그녀는 숙제를 하고 있었다.

They **danced** on the stage. 그들은 무대 위에서 춤을 췄다.

→ They **were dancing** on the stage. 그들은 무대 위에서 춤을 추고 있었다.

> am/is의 과거형은 was이고,
> are의 과거형은 were야.

Tip 과거형은 과거의 상태나 끝난 동작을 나타내고, 과거진행형은 과거에 진행 중이던 상황을 나타내요.

2 동사원형 -ing 만드는 법

대부분의 동사	동사원형 + ing	do → do**ing** look → look**ing**	read → read**ing** listen → listen**ing**
-e로 끝나는 동사	끝에 -e를 빼고 + ing	come → com**ing** make → mak**ing**	use → us**ing** write → writ**ing**
-ie로 끝나는 동사	-ie를 y로 바꾸고 + ing	lie → l**ying** tie → t**ying**	die → d**ying**
「단모음 + 단자음」으로 끝나는 1음절 동사	자음을 한 번 더 쓰고 + ing	run → run**ning** swim → swim**ming**	cut → cut**ting** stop → stop**ping**

We **were listening** to music. 우리는 음악을 듣고 있었다.

Jack **was writing** a diary. Jack은 일기를 쓰고 있었다.

She **was lying** on the sofa. 그녀는 소파에 누워 있었다.

They **were running**. 그들은 달리고 있었다.

A 다음 주어진 두 단어 중에서 알맞은 것을 고르세요.

1 She (was) were driving.

2 We was were taking a walk.

3 Sofia was were writing a letter.

4 They was were playing hockey.

5 His daughter was were crying alone.

6 My parents was were singing together.

7 Matthew was were doing his homework.

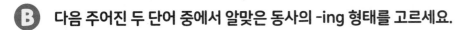

★ drive 운전하다

★ take a walk 산책하다

★ letter 편지

★ hockey 하키

★ alone 혼자

★ together 함께

★ homework 숙제

★ watch 보다, 시청하다

★ hat 모자

★ lie 누워 있다, 눕다

Unit 3

> 과거진행형은 「was / were + 동사원형 -ing」의 형태로 쓰는데, 주어의 수와 인칭에 따라 was를 쓸지 were를 쓸지 결정해야 해.

B 다음 주어진 두 단어 중에서 알맞은 동사의 -ing 형태를 고르세요.

1 We were (watching) watcheing TV.

2 I was wearing wearring a red hat.

3 They were haveing having dinner.

4 David was listening listenning to the radio.

5 She was makeing making some pizza.

6 My father was lying lieing on the bed.

7 A few boys were swiming swimming in the river.

정답과 해설 7쪽

**다음 우리말과 뜻이 같도록 주어진 단어를 사용하여 문장을 완성하세요.
(필요하면 단어의 형태를 바꾸세요.)**

⭐ clean 청소하다

⭐ jog 조깅하다

⭐ loudly 크게

⭐ ride 타다

⭐ plan 계획하다

⭐ camping 캠핑, 야영

⭐ trip 여행

⭐ wash the dishes 설거지하다

⭐ smile 미소 짓다

⭐ cute 귀여운

⭐ practice 연습하다

⭐ cello 첼로

1 나의 언니는 그녀의 방을 청소하고 있었다. `clean`

➡ My sister [was cleaning] her room.

2 그들은 공원에서 조깅하고 있었다. `jog`

➡ They [　　　　　] in the park.

3 그의 아기는 크게 울고 있었다. `cry`

➡ His baby [　　　　　] loudly.

4 그 소년들은 함께 노래하고 있었다. `sing`

➡ The boys [　　　　　] together.

5 Leo는 말을 타고 있었다. `ride`

➡ Leo [　　　　　] a horse.

6 우리는 캠핑 여행을 계획하고 있었다. `plan`

➡ We [　　　　　] a camping trip.

7 나의 형들은 설거지를 하고 있었다. `wash`

➡ My brothers [　　　　　] the dishes.

8 그 귀여운 소녀는 미소 짓고 있었다. `smile`

➡ The cute girl [　　　　　].

9 Jamie는 첼로를 연습하고 있었다. `practice`

➡ Jamie [　　　　　] the cello.

10 지원이와 하늘이는 영어를 공부하고 있었다. `study`

➡ Jiwon and Haneul [　　　　　] English.

> 「동사원형 -ing」는 동사가 아니기 때문에 과거진행형을 만들 때 be동사와 함께 써야 해.
>
> She dancing. (X)
> She was dancing. (O)
> 그녀는 춤을 추고 있었다.

42 UNIT 3

정답과 해설 7쪽

다음 밑줄 친 부분을 바르게 고쳐 과거진행형 문장을 다시 쓰세요.

1 She <u>were waiting</u> for her boyfriend.

➡ She was waiting for her boyfriend.

2 I <u>was makeing</u> her birthday cake.

➡

3 We <u>was playing</u> table tennis.

➡

4 They <u>were danceing</u> on the street.

➡

5 Yunha <u>was tieing</u> her shoelaces.

➡

6 My cat <u>was slepping</u> under the chair.

➡

7 The children <u>was drinking</u> water.

➡

8 Frank and Fiona <u>were swiming</u> in the lake.

➡

9 Alice <u>were taking</u> a shower then.

➡

10 My friend and I <u>were lieing</u> on the grass.

➡

★ **wait for** ~를 기다리다

★ **boyfriend** 남자친구

★ **table tennis** 탁구

★ **street** 길, 거리

★ **tie** 묶다

★ **shoelace** 신발 끈

★ **swim** 수영하다

★ **lake** 호수

★ **take a shower** 샤워를 하다

★ **lie** 눕다

★ **grass** 잔디

Unit **3**

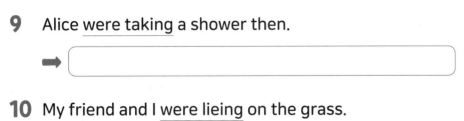

-e로 끝나는 동사는
-e를 빼고 ing를 붙이고,
-ie로 끝나는 동사는
-ie를 y로 바꾸고 ing를 붙여.

정답과 해설 7쪽

다음 문장을 과거진행형으로 바꿔 쓰세요.

1 I helped my mom.

➡ I was helping my mom.

2 Oliver used my computer.

➡

3 His plants died.

➡

4 The lady wore a blue blouse.

➡

5 We swam in the pool.

➡

6 My dad looked for his tool.

➡

7 They cut down the trees.

➡

8 Jiyoung held my hand.

➡

9 Mike and Ben ran on the beach.

➡

10 My parents made dinner together.

➡

★ help 도와주다
★ use 사용하다
★ plant 식물
★ die 죽다
★ lady 여성
★ blouse 블라우스
★ pool 수영장
★ look for ~를 찾다
★ tool 도구
★ cut down 베다
★ hold 잡다
★ beach 해변

> be동사의 과거형은 현재형(am, are, is)과 달리 was랑 were 두 개뿐이야.

STEP 4

다음 우리말과 뜻이 같도록 주어진 단어를 사용하여 문장을 쓰세요.
(필요하면 단어의 형태를 바꾸세요.)

1 밖에 비가 오고 있었다. rain   outside

➡ It was raining outside.

2 우리는 커피를 마시고 있었다. drink   coffee

➡

3 그는 그림을 그리고 있었다. draw   a picture

➡

4 그들은 벽을 페인트칠하고 있었다. paint   the wall

➡

5 Jenny는 생일 카드를 쓰고 있었다. write   a birthday card

➡

6 우리는 바이올린을 연주하고 있었다. play   the violin

➡

7 그녀는 리본을 묶고 있었다. tie   a ribbon

➡

8 Aiden은 빵을 조금 굽고 있었다. bake   some bread

➡

9 너는 차를 고치고 있었다. fix   the car

➡

10 그들은 컴퓨터 게임을 하고 있었다. play   computer games

➡

과거진행형의 부정문과 의문문

🌸1 과거진행형의 부정문 (주어) + (was / were) + (not) + (동사원형 -ing)

be동사의 과거형 뒤에 not을 붙여서 '~하고 있지 않았다'라는 뜻을 나타내요.

긍정문	Mike	was		drinking	water.	Mike는 물을 마시고 있었다.
부정문	Mike	was	**not**	drinking	water.	Mike는 물을 마시고 있지 않았다.

He **was not taking** a shower. 그는 샤워를 하고 있지 않았다.

John **was not studying** science. John은 과학을 공부하고 있지 않았다.

The children **were not watching** TV. 그 아이들은 TV를 보고 있지 않았다.

> ✏️ **Tip** was not은 wasn't로, were not은 weren't로 줄여 쓸 수 있어요.

I **was not** cleaning the classroom. 나는 교실을 청소하고 있지 않았다.

= I **wasn't** cleaning the classroom.

We **were not** cleaning the classroom. 우리는 교실을 청소하고 있지 않았다.

= We **weren't** cleaning the classroom.

🌸2 과거진행형의 의문문 (Was / Were) + (주어) + (동사원형 -ing) + (~?)

과거진행형 문장에서 주어와 be동사의 위치를 바꾸고 문장의 마지막에 물음표를 써요.

평서문		Mike	was	drinking	water.	Mike는 물을 마시고 있었다.
의문문	**Was**	Mike		drinking	water?	Mike는 물을 마시고 있었니?

A **Was** Jane **reading** a book?
Jane은 책을 읽고 있었니?

B No, she **wasn't**.
아니, 그러지 않았어.

A **Were** they **playing** soccer?
그들은 축구를 하고 있었니?

B Yes, they **were**.
응, 그랬어.

과거진행형 의문문의 대답은 be동사의 과거형으로 해.

> ✏️ **Tip** 의문사가 있는 과거진행형의 의문문은 「의문사 + was / were + 주어 + 동사원형 -ing ~?」 순서로 쓰고, be동사(was / were)는 주어의 수에 일치시켜요.

Where **was** he **going**? 그는 어디를 가고 있었니?

What **were** you **doing** an hour ago? 너는 한 시간 전에 무엇을 하고 있었니?

A 다음 주어진 말 중에서 알맞은 것을 고르세요.

1 He ⟨was not⟩ not was taking a picture.

2 You did not / were not watching TV.

3 They weren't / wasn't following the rules.

4 My aunt were not / was not making pizza.

5 Justin wasn't / didn't feeding the ducks.

6 We was not / were not having breakfast.

7 Hyewon wasn't / didn't cleaning her room.

★ take a picture
사진을 찍다

★ follow 따르다

★ rule 규칙

★ aunt 이모

★ feed 먹이를 주다

★ fix 고치다

★ library 도서관

★ basketball 농구

★ hide 숨기다

Unit
3

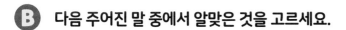
과거진행형의 부정문은
be동사 뒤에 not을 붙여서
was not 또는 were
not으로 표현하는데, 각각
wasn't나 weren't로
줄여 쓸 수 있어.

B 다음 주어진 말 중에서 알맞은 것을 고르세요.

1 ⟨Was⟩ Were Jake fixing his bike?

2 Was / Were you reading a book?

3 Did / Was she dancing at the party?

4 Did / Were they going to the library?

5 Was / Were Tim and Paul playing basketball?

6 What did / was David hiding?

7 Where was / were the children playing?

다음 우리말과 뜻이 같도록 주어진 단어를 사용하여 문장을 완성하세요.
(필요하면 단어의 형태를 바꾸세요.)

★ fly 날리다
★ kite 연
★ yoga 요가
★ cut 자르다
★ vegetable 채소
★ move 옮기다, 이동하다
★ plant (식물을) 심다
★ map 지도
★ take a nap 낮잠을 자다
★ kitchen 부엌

1 민호는 연을 날리고 있지 않았다. fly

➡ Minho [was not[wasn't] flying] a kite.

2 너희들은 새 컴퓨터를 사용하고 있었니? use

➡ [   ] new computers?

3 그들은 요가를 하고 있지 않았다. do

➡ They [   ] yoga.

4 Carlos는 채소를 자르고 있었니? cut

➡ [   ] vegetables?

5 Jane은 그 의자를 옮기고 있지 않았다. move

➡ Jane [   ] the chair.

6 그는 그 나무를 심고 있었니? plant

➡ [   ] the tree?

7 우리는 지도를 보고 있지 않았다. look

➡ We [   ] at the map.

8 그 아기들은 낮잠을 자고 있지 않았다. take

➡ The babies [   ] a nap.

9 너는 부엌에서 무엇을 먹고 있었니? eat

➡ What [   ] in the kitchen?

10 Zoey는 왜 아침에 울고 있었니? cry

➡ Why [   ] in the morning?

> 의문사가 있는 be동사 과거진행형의 의문문은 「의문사 + was / were + 주어 + 동사원형 -ing ~?」의 형태로 써.

STEP 2

다음 밑줄 친 부분을 바르게 고쳐 과거진행형 문장을 다시 쓰세요.

1 We <u>are not</u> jumping on the bed.

➡ We were not[weren't] jumping on the bed.

2 <u>Did</u> he talking on the phone?

➡

3 <u>Was</u> your dogs eating your cookies?

➡

4 Judy <u>did not</u> making a waffle.

➡

5 Where <u>was</u> you having lunch?

➡

6 You <u>was not</u> doing your homework.

➡

7 <u>Were</u> Steve holding a large box?

➡

8 When <u>did</u> Gary playing chess?

➡

9 Jihwan <u>were not</u> climbing the mountain.

➡

10 <u>Is</u> she studying with Grace yesterday?

➡

★ **talk on the phone**
전화통화를 하다

★ **waffle** 와플

★ **lunch** 점심

★ **hold** 들다, 잡다

★ **large** 큰, 넓은

★ **chess** 체스

★ **climb** 오르다

★ **mountain** 산

★ **yesterday** 어제

Unit **3**

> 과거진행형의 부정문은
> 「주어 + was / were + not +
> 동사원형 -ing」 순서로 쓰고,
> 과거진행형의 의문문은
> 「was / were + 주어 +
> 동사원형 -ing ~?」 순서로 써.

다음 문장을 과거진행형으로 바꿔 쓰세요. (부정문은 줄임형으로 쓰세요.)

1 Ken didn't drive the truck.

➡ Ken wasn't driving the truck.

2 Did Carrie clean the room?

➡

3 It didn't snow last night.

➡

4 Did you lie down on the beach?

➡

5 Scott didn't wash his hands.

➡

6 They didn't sit on the bench.

➡

7 Did she water the plants?

➡

8 When did Robin write a letter?

➡

9 We didn't play baseball yesterday.

➡

10 Did they play a board game together?

➡

★ drive 운전하다

★ truck 트럭

★ lie down 눕다

★ beach 해변

★ sit 앉다

★ bench 벤치, 긴 의자

★ water 물을 주다

★ plant 식물

★ board game 보드 게임

★ together 함께

> 일반동사 과거형의 부정문은
> 「didn't + 동사원형」으로
> 쓰지만, 과거진행형의 부정문은
> 「wasn't / weren't +
> 동사원형 -ing」로 써야 해.

다음 우리말과 뜻이 같도록 주어진 단어를 사용하여 문장을 쓰세요.
(부정문은 줄임형으로 쓰고, 필요하면 단어의 형태를 바꾸세요.)

1 우리는 새들에게 먹이를 주고 있지 않았다. feed   the birds

➡ We weren't feeding the birds.

2 그는 흰 스웨터를 입고 있었니? wear   a white sweater

➡

3 Sophie는 잡지를 읽고 있지 않았다. read   a magazine

➡

4 너는 소파 위에서 자고 있었니? sleep   on the sofa

➡

5 Adrian은 플루트를 연주하고 있지 않았다. play   the flute

➡

6 너희들은 어디에서 간식을 먹고 있었니? eat   snacks

➡

7 나는 내 친구들과 이야기하고 있지 않았다. talk   with my friends

➡

8 Jessica는 길을 건너고 있었니? cross   the street

➡

9 그들은 태권도를 연습하고 있지 않았다. practice   Taekwondo

➡

10 그들은 얼음 위에서 스케이트를 타고 있었니? skate   on the ice

➡

★ feed 먹이를 주다
★ sweater 스웨터
★ magazine 잡지
★ flute 플루트
★ snack 간식
★ cross 건너다
★ street 길, 거리
★ practice 연습하다
★ skate 스케이트를 타다
★ ice 얼음

Unit
3

의문사가 있는 과거진행형의
의문문은 「의문사 + was / were
+ 주어 + 동사원형 -ing ~?」
순서로 써.

1 다음 동사의 -ing 형태가 <u>잘못된</u> 것을 고르세요.

① make → making   ② cut → cuting

③ cook → cooking   ④ lie → lying

⑤ write → writing

★ cut 자르다, 베다
★ cook 요리하다
★ lie 눕다
★ write 쓰다

[2~3] 다음 빈칸에 들어갈 말로 알맞은 것을 고르세요.

2

> _____ your sister wearing a skirt yesterday?

① Does   ② Is

③ Did   ④ Was

⑤ Were

★ skirt 치마
★ yesterday 어제

3

> Ms. Leslie was _____ her laptop.

① use   ② uses

③ used   ④ using

⑤ useing

★ laptop 노트북 컴퓨터
★ use 사용하다

4 다음 우리말을 영어로 바르게 옮긴 것을 고르세요.

> 우리는 방과 후에 테니스를 치고 있었다.

① We play tennis after school.

② We played tennis after school.

③ We playing tennis after school.

④ We are playing tennis after school.

⑤ We were playing tennis after school.

★ after school 방과 후에

5 다음 빈칸에 공통으로 들어갈 말로 알맞은 것을 고르세요.

> • What _____ he doing?
> • I _____ making some cookies.

① is
② am
③ are
④ was
⑤ were

★ cookie 쿠키

[6~7] 다음 밑줄 친 부분이 잘못 쓰인 것을 고르세요.

6
① <u>Was it raining</u> heavily?
② <u>Were you running</u> then?
③ Jenny <u>was writing</u> an essay.
④ <u>Did you</u> having dinner with John?
⑤ We <u>weren't playing</u> computer games.

★ heavily 심하게
★ then 그때
★ essay 에세이, 수필

7
① <u>Was he taking</u> a shower?
② <u>She was</u> studying science.
③ My mom <u>weren't baking</u> bread.
④ <u>Were they</u> watching a movie?
⑤ Tom <u>wasn't washing</u> the dishes.

★ take a shower
  샤워하다
★ science 과학
★ bake 굽다
★ wash the dishes
  설거지를 하다

8 다음 빈칸에 들어갈 말을 바르게 짝지은 것을 고르세요.

> • Where _____ they taking pictures?
> • Scott was _____ some sandwiches.

① are — make
② was — make
③ were — make
④ was — making
⑤ were — making

★ take pictures
  사진을 찍다

[9~12] 다음 우리말과 뜻이 같도록 주어진 단어를 사용하여 문장을 완성하세요.
(필요하면 단어의 형태를 바꾸세요.)

9

그녀는 공원에서 자전거를 타고 있었다.

ride

➡ She 〔   〕 〔   〕
her bike in the park.

★ ride 타다
★ park 공원

10

그들은 어제 무엇을 입고 있었니?

wear

➡ What 〔   〕 they
〔   〕 yesterday?

11

우리는 음악을 듣고 있지 않았다.

listen

➡ We 〔   〕 〔   〕
to music.

★ listen to ~을 듣다

12

Clara는 침대에 누워 있었니? lie

➡ 〔   〕 Clara 〔   〕
on the bed?

★ lie 눕다

UNIT 4

미래형

Lesson 1 will

Lesson 2 be going to

Lesson 1 will

긍정문		James	will		buy	the car.	James는 그 차를 살 것이다.
부정문		James	will	not	buy	the car.	James는 그 차를 사지 않을 것이다.
의문문	Will	James			buy	the car?	James는 그 차를 살 거니?

1 긍정문

「will + 동사원형」의 순서로 쓰고, '~할 것이다, ~일 것이다'라는 미래의 일을 나타내요.

He **will go** to Paris next week. 그는 다음 주에 파리에 갈 것이다.

I **will buy** that blue jacket. 나는 저 파란색 재킷을 살 것이다.

The party **will be** fun. 그 파티는 재미있을 것이다.

will은 조동사이므로 주어의 인칭과 수에 상관없이 항상 will로 써.

Tip 주어가 대명사일 때 I'll, You'll, He'll, She'll, It'll, They'll, We'll처럼 줄여 쓸 수 있어요.

2 부정문

「will + not + 동사원형」의 순서로 쓰고, '~하지 않을 것이다'라는 뜻을 나타내요.

We **will not(= won't) buy** that car. 우리는 저 차를 사지 않을 것이다.

I **will not(= won't) go** out with her. 나는 그녀와 함께 외출하지 않을 것이다.

will not의 줄임형은 willn't가 아니라 won't야.

3 의문문

「Will + 주어 + 동사원형 ~?」의 순서로 쓰고 '~할 거니?'라는 뜻을 나타내요.

A Will you **go** to Jane's birthday party? 너는 Jane의 생일 파티에 갈 거니?

B Yes, I **will**. / No, I **won't**. 응, 그럴 거야. / 아니, 그러지 않을 거야.

A Will your parents **come** this weekend? 너희 부모님은 이번 주말에 오실 거니?

B Yes, they **will**. / No, they **won't**. 응, 그러실 거야. / 아니, 그러지 않으실 거야.

Tip 의문사가 있는 will의 의문문은 「의문사 + will + 주어 + 동사원형 ~?」 순서로 써요.

A What **will you do** after school? 너는 방과 후에 무엇을 할 거니?

B I **will play** soccer with my friends. 나는 친구들과 축구를 할 거야.

A 다음 주어진 말 중에서 알맞은 것을 고르세요.

1 Robin ~~will meets~~ (will meet) her later.

2 ~~I'will leave~~ | I'll leave | this Tuesday.

3 It | won't rain | ~~won't rains~~ | tonight.

4 I | won't buy | ~~willn't buy~~ | that shirt.

5 My dad | ~~will arrive not~~ | will not arrive | tomorrow.

6 The basketball game | ~~will is~~ | will be | fun.

7 He | will know | ~~wills know~~ | the result soon.

★ later 나중에
★ leave 떠나다
★ Tuesday 화요일
★ rain 비가 내리다
★ tonight 오늘 밤
★ shirt 셔츠
★ arrive 도착하다
★ tomorrow 내일
★ game 경기, 시합
★ fun 재미있는
★ result 결과
★ soon 곧
★ teach 가르치다
★ windy 바람이 부는
★ farm 농장

Unit **4**

B 다음 문장이 바르게 쓰였는지 아닌지를 고르세요.

1 Will Susan comes to my party?　　O　(X)

2 Mr. Perry wills teach science.　　O　X

3 We won't watch television tonight.　　O　X

4 Will you go to Los Angeles?　　O　X

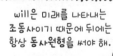
will은 미래를 나타내는 조동사이기 때문에 뒤에는 항상 동사원형을 써야 해.

5 It will is windy tomorrow.　　O　X

6 They not will eat pizza for lunch.　　O　X

7 When will you go to the farm?　　O　X

미래형 **57**

다음 우리말과 뜻이 같도록 주어진 단어를 사용해서 문장을 완성하세요.

★ homework 숙제
★ learn 배우다
★ Korean 한국어
★ take pictures
  사진을 찍다
★ idea 생각
★ gift 선물
★ stay 머무르다
★ there 거기에
★ call 전화하다
★ musical 뮤지컬

1 그녀는 숙제를 할 것이다. do

➡ She [will do] her homework.

2 너는 한국어를 배울거니? learn

➡ [ ] you [ ] Korean?

3 오늘 밤에 눈이 내리지 않을 것이다. snow

➡ It [ ] tonight.

4 너희들은 어디에서 사진을 찍을 거니? take

➡ Where [ ] you [ ] pictures?

5 Sue는 이 생각을 좋아하지 않을 것이다. like

➡ Sue [ ] this idea.

6 Darren은 택시를 타고 집에 갈 거니? go

➡ [ ] Darren [ ] home by taxi?

will의 부정형 will not의
줄임형은 willn't가 아닌
won't로 쓴다는 것을
주의해.

7 나의 부모님은 이 선물을 매우 좋아하실 것이다. love

➡ My parents [ ] this gift.

8 그들은 거기에 2일 동안 머무를 거니? stay

➡ [ ] they [ ] there for two days?

9 나는 오늘밤에 너에게 전화하지 않을 것이다. call

➡ I [ ] you tonight.

10 그들은 내일 뮤지컬을 볼 것이다. watch

➡ They [ ] a musical tomorrow.

STEP 2

정답과 해설 10쪽

다음 밑줄 친 부분을 바르게 고쳐 미래형 문장을 다시 쓰세요.

1 I'<u>will buy</u> that bag.

➡ I will[I'll] buy that bag.

2 James <u>won't goes</u> fishing with his dad.

➡

3 Mr. Shaw <u>wills meet</u> you there.

➡

4 It <u>won't is</u> warm next week.

➡

5 <u>Wills your sister</u> come with us?

➡

6 The kids <u>willn't play</u> in the park.

➡

7 <u>Will you what</u> do this weekend?

➡

8 My brother <u>will wears</u> these sneakers.

➡

9 <u>When you will</u> come back from London?

➡

10 Noah and Ella <u>won't not</u> exercise tomorrow.

➡

★ buy 사다

★ go fishing
낚시하러 가다

★ warm 따뜻한

★ next week 다음 주

★ play 놀다

★ weekend 주말

★ wear 신다, 입다

★ sneakers 운동화

★ come back 돌아오다

★ exercise 운동하다

Unit
4

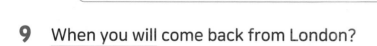
will은 주어의 인칭과
수에 상관없이
항상 will로 써.

다음 문장을 지시대로 바꿔 쓰세요. (부정문은 줄임형으로 쓰세요.)

1 He will eat pumpkin soup. 의문문

➡ Will he eat pumpkin soup?

2 She will be free today. 부정문

➡

3 Gabriel won't make dinner. 긍정문

➡

4 Your parents will arrive soon. 의문문

➡

5 Jackie will feed the puppies. 부정문

➡

6 You will send a postcard to Robin. 의문문

➡

7 We won't invite Jane to the party. 긍정문

➡

8 They will go shopping tomorrow. 의문문

➡

9 My friends will swim in the river. 부정문

➡

10 Harper will take a piano lesson today. 의문문

➡

★ pumpkin 호박
★ free 한가한
★ arrive 도착하다
★ feed 먹이를 주다
★ send 보내다
★ postcard 엽서
★ invite 초대하다
★ go shopping 쇼핑을 가다
★ take a lesson 레슨을 받다

부정문은 「will not [won't] + 동사원형」의 순서로 쓰고, 의문문은 「will + 주어 + 동사원형 ~?」의 순서로 써.

정답과 해설 11쪽

다음 우리말과 뜻이 같도록 주어진 단어를 사용하여 문장을 쓰세요.

1 우리는 점심을 먹을 것이다. **eat** **lunch**

➡ We will[We'll] eat lunch.

2 Eva는 부모님을 도와드릴 거니? **help** **her parents**

➡

3 그들은 산에 오르지 않을 것이다. **climb** **the mountain**

➡

4 이번 겨울은 춥지 않을 것이다. **cold** **this winter**

➡

5 누가 그 차를 운전할 거니? **drive** **the car**

➡

6 그들은 캐나다로 여행 갈 것이다. **travel** **to Canada**

➡

7 너희는 그 수업을 들을 거니? **take** **the class**

➡

8 Henry는 그의 차를 세차하지 않을 것이다. **wash** **his car**

➡

9 너는 어떻게 박물관에 갈 거니? **go** **to the museum**

➡

10 나는 Pete의 우산을 빌릴 것이다. **borrow** **Pete's umbrella**

➡

★ climb 오르다
★ mountain 산
★ drive 운전하다
★ travel 여행가다
★ wash (물로) 씻다
★ museum 박물관
★ borrow 빌리다
★ umbrella 우산

Unit 4

의문사가 쓰인 will의 의문문은 「의문사 + will + 주어 + 동사원형 ~?」의 순서로 쓰면 돼.

be going to

긍정문		You	are		going to invite	them.	너는 그들을 초대할 것이다.
부정문		You	are	not	going to invite	them.	너는 그들을 초대하지 않을 것이다.
의문문	Are	you			going to invite	them?	너는 그들을 초대할 거니?

❶ 긍정문

「be동사 + going to + 동사원형」 순서로 쓰고, '~할 것이다, ~할 예정이다'라는 뜻을 나타내요.

I **am going to buy** that car. 나는 저 차를 살 것이다.

He **is going to paint** the wall. 그는 벽을 페인트칠 할 것이다.

They **are going to visit** France. 그들은 프랑스를 방문할 것이다.

주어의 인칭과 수에
따라 be동사는 달라져.

Tip be going to는 주로 이미 계획되거나 결정된 미래의 일을 나타내요. 그렇지만 대부분의 경우에 will과 be going to는 서로 바꿔 쓸 수 있어요.

❷ 부정문

「be동사 + not going to + 동사원형」 순서로 쓰고, '~하지 않을 것이다'라는 뜻을 나타내요.

I **am not going to buy** these shoes. 나는 이 신발을 사지 않을 것이다.

It **is not going to be** hot tomorrow. 내일은 덥지 않을 것이다.

We **are not going to eat** out tonight. 우리는 오늘 밤 외식을 하지 않을 것이다.

대답은 be동사의
현재형으로 해.

❸ 의문문

「be동사 + 주어 + going to + 동사원형」 순서로 쓰고, '~할 거니?'라는 뜻을 나타내요.

A **Are** you **going to meet** Jane?
너는 Jane을 만날 거니?

B Yes, I **am**. / No, I'm **not**.
응, 그럴 거야. / 아니, 그러지 않을 거야.

Tip 의문사가 있는 be going to의 의문문은 「의문사 + be동사 + 주어 + going to + 동사원형」으로 쓰고, 대답은 Yes/No로 하지 않고 질문에 대해 구체적으로 대답해요.

When are you **going to meet** Amy? 너는 언제 Amy를 만날 거니?

Where are you **going to visit**? 너는 어디를 방문할 거니?

A 다음 주어진 말 중에서 알맞은 것을 고르세요.

1 I (am) will going to wash the cups.

2 They won't are not going to play outside.

3 Daniel is are going to marry her.

4 We don't aren't going to visit the castle.

5 It isn't going won't going to snow tonight.

6 My brother will is going to exercise in the gym.

★ wash 씻다

★ outside 밖에서

★ marry ~와 결혼하다

★ visit 방문하다

★ castle 성

★ tonight 오늘 밤에

★ exercise 운동하다

★ gym 체육관

★ invite 초대하다

★ go skiing
스키타러 가다

★ fix 고치다

Unit
4

B 다음 <보기>에서 질문에 알맞은 대답을 찾아 기호를 쓰세요.

> 보기 ⓐ Yes, I am. ⓑ Sandwiches. ⓒ Next Friday.
> ⓓ Yes, they are. ⓔ No, he isn't. ⓕ Yes, she is.

1 Are you going to sing with her? ⓐ

2 Is she going to invite Tom? _____

3 Are they going to go skiing? _____

4 When are you going to meet Ben? _____

5 What is he going to eat for lunch? _____

의문사가 있는 be going to의
의문문은 「의문사 + be + 주어 +
going to + 동사원형」 순서로 써.

6 Is your father going to fix the car? _____

다음 우리말과 뜻이 같도록 주어진 단어와 be going to를 사용해서 문장을 완성하세요.

1 Mark는 일기를 쓸 것이다. [keep]

➡ Mark [is going to keep] a diary.

2 나는 컴퓨터 게임을 하지 않을 것이다. [play]

➡ I [   ] computer games.

3 그녀는 내일 파리로 떠날 거니? [leave]

➡ [   ] for Paris tomorrow?

4 우리는 오늘 첼로 연습을 할 것이다. [practice]

➡ We [   ] the cello today.

5 John은 내일 조깅하지 않을 것이다. [jog]

➡ John [   ] tomorrow.

6 너는 그 책을 반납할 거니? [return]

➡ [   ] the book?

7 그녀는 오늘 밤에 영화 한 편을 볼 것이다. [watch]

➡ She [   ] a movie tonight.

8 우리는 그 동아리에 가입하지 않을 것이다. [join]

➡ We [   ] the club.

9 너는 동물원에 어떻게 갈 거니? [go]

➡ How [   ] to the zoo?

10 그들은 어디에서 시험 공부를 할 거니? [study]

➡ Where [   ] for the exam?

★ keep a diary
  일기를 쓰다

★ leave for ~로 떠나다

★ practice 연습하다

★ cello 첼로

★ jog 조깅하다

★ return 반납하다

★ join 가입하다

★ club 동아리

★ zoo 동물원

★ exam 시험

be going to는 will과 다르게 주어의 수와 인칭에 따라서 be동사가 am, are, is로 달라져.

64 UNIT 4

다음 밑줄 친 부분을 바르게 고쳐 문장을 다시 쓰세요.

1 It <u>will</u> going to be very hot this summer.

➡ It is going to be very hot this summer.

2 <u>Does</u> your dad going to sell his car?

➡

3 Cathy <u>won't</u> going to make dinner.

➡

4 We <u>is</u> going to win this game.

➡

5 It isn't going <u>be</u> warm this afternoon.

➡

6 <u>Do</u> you going to play the guitar?

➡

7 My friend is going to <u>coming</u> to my house.

➡

8 Where <u>is</u> they going to have a party?

➡

9 My parents <u>don't</u> going to wash the dog.

➡

10 What <u>is</u> you going to do this Sunday?

➡

★ hot 더운
★ summer 여름
★ sell 팔다
★ win 이기다
★ game 경기, 시합
★ warm 따뜻한
★ afternoon 오후
★ come 오다
★ have a party
  파티를 하다
★ wash 씻기다

Unit
4

> be going to의 부정문은
> 「be + not going to + 동사원형」
> 순서로 쓰고, 의문문은
> 「be + 주어 + going to + 동사원형」
> 순서로 써야 해.

정답과 해설 12쪽

다음 문장을 be going to를 이용한 문장으로 바꿔 쓰세요.
(부정문은 줄임형으로 쓰세요.)

★ build (건물을) 짓다
★ class 수업
★ learn 배우다
★ Chinese 중국어
★ say sorry
미안하다고 말하다
★ take a taxi 택시를 타다
★ musical 뮤지컬
★ stay 머무르다
★ invite 초대하다
★ birthday party
생일 파티

1 We will build more schools.

➡ We are going to build more schools.

2 She won't be late for the class.

➡

3 Will Eric learn Chinese?

➡

4 I will say sorry to my mother.

➡

5 We won't take a taxi.

➡

주어의 인칭과 수에 따라
be동사의 형태가 달라지는
것을 주의해야 해.

6 It will snow tomorrow.

➡

7 Will you buy the sweater?

➡

8 They won't watch the musical.

➡

9 Where will you stay in Chicago?

➡

10 Jim will invite her to his birthday party.

➡

다음 우리말과 뜻이 같도록 주어진 단어와 be going to를 사용해서 문장을 완성하세요. (부정문은 줄임형으로 쓰세요.)

★ arrive 도착하다
★ golf 골프
★ set the alarm 알람을 맞추다
★ plant (식물을) 심다
★ bring 가져오다
★ travel 여행 가다
★ Europe 유럽
★ build 짓다
★ stadium 경기장
★ tent 텐트, 천막

1 그는 몇 시에 도착할 거니? `what time` `arrive`

➡ What time is he going to arrive?

2 그들은 골프를 하지 않을 것이다. `play` `golf`

➡

3 나는 알람을 맞출 것이다. `set` `the alarm`

➡

4 너는 나무들을 심을 거니? `plant` `trees`

➡

5 그들은 자신의 카메라를 가져 올 것이다. `bring` `their cameras`

➡

6 Bobby는 유럽으로 여행 가지 않을 것이다. `travel` `to Europe`

➡

7 그들은 새 경기장을 지을 거니? `build` `a new stadium`

➡

8 너는 크리스마스에 무엇을 할 거니? `do` `on Christmas`

➡

의문사가 있는 be going to 의문문은 「의문사 + be동사 + 주어 + going to + 동사원형」의 순서로 써.

9 우리는 텐트에서 자지 않을 것이다. `sleep` `in a tent`

➡

10 Kevin은 내일 Henry를 만날 것이다. `meet` `tomorrow`

➡

[1~4] 다음 빈칸에 들어갈 말로 알맞은 것을 고르세요.

1

> Look at the sun!
> It _____ going to be hot.

① will　　　　　② is
③ was　　　　　④ are
⑤ be

★ look at ~을 보다
★ sun 태양
★ hot 더운

2

> What _____ you do next weekend?

① is　　　　　② does
③ are　　　　　④ will
⑤ be

★ weekend 주말

3

> A When are you going to do your homework?
> B I'm _____ to do it tomorrow.

① go　　　　　② will
③ going　　　　④ will go
⑤ be going

★ homework 숙제
★ tomorrow 내일

4

> A Will you visit your parents this Friday?
> B No, I _____.

① am　　　　　② do
③ will　　　　　④ won't
⑤ don't

★ visit 방문하다
★ parents 부모님
★ Friday 금요일

5 다음 우리말과 뜻이 같도록 빈칸에 들어갈 알맞은 말을 고르세요.

> • 우리는 오늘 밤에 영화를 보러 갈 것이다.
> We _____ go to the movies tonight.

① are
② be going
③ going to
④ is going to
⑤ are going to

★ go to the movies
영화 보러 가다
★ tonight 오늘 밤에

6 다음 빈칸에 들어갈 말을 바르게 짝지은 것을 고르세요.

> A _____ Joe going to join the reading club?
> B Yes, he _____ .

① Do — do
② Does — does
③ Does — is
④ Is — is
⑤ Is — does

★ join 가입하다
★ reading club
독서 동아리

Unit
4

[7~8] 다음 밑줄 친 부분이 잘못 쓰인 것을 고르세요.

7 ① The movie will be fun.
② She willn't buy that car.
③ It'll be cloudy tomorrow.
④ He's not going to go swimming.
⑤ They're going to play tennis this afternoon.

★ fun 재미있는
★ cloudy 흐린
★ afternoon 오후

8 ① Everything is going to be okay.
② We're not going to go to the zoo.
③ Is Yumi going to come here this evening?
④ Are you going to wash your car tomorrow?
⑤ Will James goes on a picnic this weekend?

★ okay 괜찮은
★ zoo 동물원
★ this evening 오늘 저녁
★ go on a picnic
소풍 가다

[9~12] 다음 우리말과 뜻이 같도록 주어진 단어를 사용하여 문장을 완성하세요.

9

너는 그 콘서트에 갈거니? go

➡ [　　　　] you [　　　　]
to the concert?

★ concert 콘서트

10

그들은 파스타를 먹을 것이다. eat

➡ They [　　　　] [　　　　]
[　　　　] [　　　　] pasta.

11

그 시험은 어렵지 않을 것이다. be

➡ The test [　　　　]
[　　　　] difficult.

★ test 시험
★ difficult 어려운

12

너는 테니스를 칠 거니? play

➡ [　　　　] you [　　　　]
[　　　　] [　　　　] tennis?

★ tennis 테니스

UNIT 5

비교

Lesson 1 비교급
Lesson 2 최상급

Jane is taller than Tyler.
Jane은 Tyler보다 키가 더 크다.

비교는 둘 이상의 사람이나 사물을 대상으로 많고 적음이나 크고 작음 등을 나타내는 것을 말해요. 형용사와 부사의 형태를 변화시켜서 비교를 나타내고, 형용사와 부사는 원급, 비교급, 최상급으로 표현할 수 있어요.

Lesson 1 비교급

· 알아두기 · 형용사와 부사의 원래 형태를 '원급'이라고 하고, 원급에 -er을 붙이거나 앞에 more를 써서 비교의 뜻을 나타내는 것을 '비교급'이라고 해요.

1 비교급의 쓰임

- 비교급은 두 대상을 비교할 때 쓰고, '더 ~한, 더 ~하게'라는 뜻을 나타내요.
- 비교의 문장은 「비교급 + than」으로 나타내며 than은 '~보다'라는 뜻이에요.

Scott is **tall**. 〈원급〉 Scott은 키가 크다.

→ Scott is **taller than** me. 〈비교급〉 Scott은 나보다 키가 더 크다.

My bag is **expensive**. 〈원급〉 내 가방은 비싸다.

→ My bag is **more expensive than** yours(= your bag). 〈비교급〉
내 가방은 네 가방보다 더 비싸다.

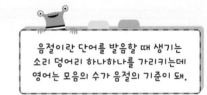

음절이란 단어를 발음할 때 생기는 소리 덩어리 하나하나를 가리키는데 영어는 모음의 수가 음절의 기준이 돼.

2 비교급 만드는 법

대부분의 1음절 단어	+ (e)r	cute(귀여운) → cuter old(오래된) → older	nice(멋진) → nicer tall(키가 큰) → taller
자음 + y로 끝나는 단어	y를 i로 바꾸고 + er	easy(쉬운) → easier pretty(예쁜) → prettier	lazy(게으른) → lazier heavy(무거운) → heavier
「단모음 + 단자음」으로 끝나는 1음절 단어	자음을 한 번 더 쓰고 + er	big(큰) → bigger hot(뜨거운) → hotter	fat(뚱뚱한) → fatter sad(슬픈) → sadder
-ing, -ed, -ous, -ful, -ive, -less로 끝나는 2음절 단어 또는 3음절 이상의 단어	more + 원급	tired(피곤한) → **more** tired boring(지루한) → **more** boring expensive(비싼) → **more** expensive difficult(어려운) → **more** difficult beautiful(아름다운) → **more** beautiful interesting(재미있는) → **more** interesting	
불규칙 변화	good(좋은) → **better** many / much(많은) → **more**	bad(나쁜) → **worse** little(적은) → **less**	

 정답과 해설 13쪽

A 다음 빈칸에 알맞은 비교급을 쓰세요.

원급	비교급		원급	비교급
big	bigger		short	
young			little	
fast			lazy	
much			large	
slowly			famous	
difficult			interesting	

★ slowly 느리게

★ difficult 어려운

★ short 짧은

★ lazy 게으른

★ famous 유명한

★ interesting 흥미로운

★ tired 피곤한

★ butterfly 나비

★ ant 개미

★ weather 날씨

★ funny 재밌는, 웃긴

Unit
5

> 보통 '형용사' 끝에 ly를 붙이면 '부사'가 되는데, 그런 부사들은 more를 붙여서 비교급을 만들어.
> slow(형용사) + ly
> → slowly(부사)
> → more slowly(비교급)
> 단, 원래 ly로 끝나는 단어는 제외야.
> early → earlier

B 다음 주어진 말 중에서 알맞은 것을 고르세요.

1 Jane looks (tireder / (more tired)) than you.

2 Your dress is (longer / longger) than mine.

3 Yewon is (busier / busyer) than Audrey.

4 Butterflies are (biger / bigger) than ants.

5 Steve is (more tall / taller) than Harry.

6 The weather is (worse / badder) than yesterday.

7 This movie was (funnier / more funny) than that movie.

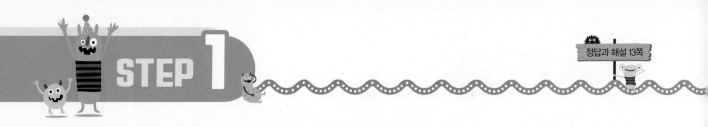
다음 우리말과 뜻이 같도록 주어진 단어를 빈칸에 알맞은 형태로 쓰세요.

1 너의 차는 나의 차보다 빠르다. fast

➡ Your car is [faster] than mine.

2 그녀의 아들은 내 남동생보다 더 어리다. young

➡ Her son is [ ] than my brother.

3 나는 어제보다 더 기분이 좋다. good

➡ I feel [ ] than yesterday.

4 이 상자는 저 상자보다 더 무겁다. heavy

➡ This box is [ ] than that box.

5 캐나다는 브라질보다 더 크다. large

➡ Canada is [ ] than Brazil.

6 나에게 수학은 과학보다 더 쉽다. easy

➡ Math is [ ] than science for me.

7 오늘은 어제보다 더 덥다. hot

➡ Today is [ ] than yesterday.

8 이 펜은 저 연필보다 더 비싸다. expensive

➡ This pen is [ ] than that pencil.

9 침팬지는 개보다 더 똑똑하다. smart

➡ Chimpanzees are [ ] than dogs.

10 이 배우는 저 가수보다 더 유명하다. famous

➡ This actor is [ ] than that singer.

★ fast 빠른
★ young 어린, 젊은
★ heavy 무거운
★ Canada 캐나다
★ Brazil 브라질
★ easy 쉬운
★ science 과학
★ expensive 비싼
★ smart 똑똑한
★ chimpanzee 침팬지
★ famous 유명한

형용사나 부사의 비교급은 규칙을 외우되 발음을 해보면서 입에 익숙하게 만드는 연습을 하면 도움이 될거야.

다음 밑줄 친 부분을 바르게 고쳐 비교급 문장을 다시 쓰세요.

1 Her hair was <u>shortter</u> than my hair.

➡ Her hair was shorter than my hair.

2 My sister is <u>lazyer</u> than me.

➡

3 I run <u>more fast</u> than my brother.

➡

4 My dog is <u>fat</u> than his dog.

➡

5 This flower is <u>beautifuler</u> than that flower.

➡

6 He works <u>more harder</u> than Jacob.

➡

7 This camera is <u>old</u> than that camera.

➡

8 Your room is <u>more dark</u> than mine.

➡

9 This book is <u>many interesting</u> than that book.

➡

10 The jacket is <u>more cheaper</u> than the coat.

➡

★ hair 머리카락
★ lazy 게으른
★ fat 뚱뚱한
★ beautiful 아름다운
★ hard 열심히
★ old 오래된
★ dark 어두운
★ jacket 재킷
★ cheap 값이 싼
★ coat 코트

Unit
5

3음절이 넘는
비교적 긴 단어들은
비교급을 만들 때
앞에 more를 붙여.

다음 우리말과 뜻이 같도록 주어진 단어를 배열하세요.

1 오늘은 어제보다 더 춥다.

today   colder   is   yesterday   than

➡ Today is colder than yesterday.

2 이 녹차는 저 물보다 더 뜨겁다.

than   this green tea   is   that water   hotter

➡

3 수박이 사과보다 더 달다.

than   sweeter   watermelons   are   apples

➡

4 Jason은 Owen보다 더 힘이 세다.

Owen   is   Jason   than   stronger

➡

5 건강은 돈보다 더 중요하다.

money   is   than   health   more   important

➡

6 Chad는 Mike보다 더 춤을 잘 췄다.

Mike   better   danced   Chad   than

➡

7 내 손가락들은 너의 손가락들보다 더 가늘다.

than   thinner   yours   my fingers   are

➡

8 오토바이는 자동차보다 더 위험하다.

are   than   motorcycles   more   cars   dangerous

➡

★ cold 추운
★ green tea 녹차
★ sweet (맛이) 단
★ watermelon 수박
★ strong 힘이 센
★ health 건강
★ important 중요한
★ thin 가는, 얇은
★ finger 손가락
★ motorcycle 오토바이
★ dangerous 위험한

than은 '~보다'라는 뜻으로 앞에 비교급이 나와야 해.

다음 우리말과 뜻이 같도록 주어진 단어를 사용하여 문장을 쓰세요.
(필요하면 단어의 형태를 바꾸세요.)

1 Terry는 Mina보다 더 피곤하다. tired

➡ Terry is more tired than Mina.

2 이 베개는 저 베개보다 더 부드럽다. pillow soft

➡

3 너는 Jeremy보다 더 적게 먹는다. eat little

➡

4 이 빵이 저 빵보다 더 맛있다. bread delicious

➡

5 Bill은 Andy보다 더 천천히 운전한다. drive slowly

➡

6 나의 집은 저 사다리보다 더 높다. house high ladder

➡

7 이 책이 저 지도보다 더 유용하다. book useful map

➡

> 우리말 뜻을 보고 알맞은 지시대명사나 소유대명사를 사용해서 문장을 써야 해.

8 가을은 봄보다 더 시원하다. fall cool spring

➡

9 이 신발은 저 부츠보다 더 예쁘다. shoes pretty boots

➡

10 나는 내 여동생보다 더 일찍 일어난다. get up early sister

➡

* tired 피곤한
* pillow 베개
* soft 부드러운
* delicious 맛있는
* slowly 천천히
* ladder 사다리
* useful 유용한
* map 지도
* fall 가을
* spring 봄
* boots 부츠
* get up 일어나다

Unit
5

Lesson 2 최상급

1 최상급의 쓰임

- 최상급은 셋 이상의 대상을 비교할 때 쓰고, '가장 ~한, 가장 ~하게'라는 뜻을 나타내요.
- 최상급 문장은 원급에 -est를 붙이거나 앞에 most를 써서 「the + 최상급」 형태로 나타내요.

This hotel is **nice**. 이 호텔은 멋지다.

→ This hotel is **the nicest** in the town. 이 호텔은 그 마을에서 가장 멋지다.

Jake is **a fast** soccer player. Jake는 빠른 축구 선수이다.

→ Jake is **the fastest** soccer player on the team. Jake는 그 팀에서 가장 빠른 축구 선수이다.

◆ '팀에서'라고 표현할 때 미국식으로 보통 on the team이라고 해요.

Tip 최상급은 보통 비교 대상이나 범위를 나타내는 전치사 in(~안에서) 또는 of(~중에서)와 함께 써요. 주로 「in + (범위나 장소의) 단수명사」 또는 「of + (비교 대상의) 복수명사」의 형태로 쓰여요.

Mike is **the youngest of the three boys**. Mike는 세 소년들 중에서 가장 어리다.

형용사나 부사의 최상급은 보통 정관사 the와 함께 쓰여.

2 최상급 만드는 법

대부분의 1음절 단어	+ (e)st	cute(귀여운) → cutest old(오래된) → oldest	nice(멋진) → nicest tall(키가 큰) → tallest
자음 + y로 끝나는 단어	y를 i로 바꾸고 + est	easy(쉬운) → easiest pretty(예쁜) → prettiest	lazy(게으른) → laziest heavy(무거운) → heaviest
「단모음 + 단자음」으로 끝나는 1음절 단어	자음을 한 번 더 쓰고 + est	big(큰) → biggest hot(뜨거운) → hottest	fat(뚱뚱한) → fattest sad(슬픈) → saddest
-ing, -ed, -ous, -ful, -ive, -less로 끝나는 2음절 단어 또는 3음절 이상의 단어	most + 원급	tired(피곤한) → **most** tired boring(지루한) → **most** boring expensive(비싼) → **most** expensive difficult(어려운) → **most** difficult beautiful(아름다운) → **most** beautiful interesting(재미있는) → **most** interesting	
불규칙 변화	good(좋은) → **best** many / much(많은) → **most**	bad(나쁜) → **worst** little(적은) → **least**	

 개념확인

정답과 해설 14쪽

A 다음 빈칸에 알맞은 최상급을 쓰세요.

원급	최상급		원급	최상급
hot	hottest		nice	
tall			easy	
cute			good	
many			slowly	
helpful			little	
beautiful			exciting	

★ cute 귀여운

★ helpful 도움이 되는

★ beautiful 아름다운

★ slowly 천천히

★ exciting 신나는

★ lazy 게으른

★ bad 나쁜

★ August 8월

★ famous 유명한

★ actress (여자) 배우

Unit
5

B 다음 주어진 말 중에서 알맞은 것을 고르세요.

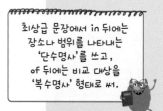
최상급 문장에서 in 뒤에는
장소나 범위를 나타내는
'단수명사'를 쓰고,
of 뒤에는 비교 대상을
'복수명사' 형태로 써.

1 Anna is ⸨the lazier⸩ ⸨the laziest⸩ in her family.

2 It was ⸨the baddest⸩ ⸨the worst⸩ hotel in Paris.

3 Howard is ⸨the taller⸩ ⸨the tallest⸩ student in the class.

4 It was ⸨the oldest⸩ ⸨the most old⸩ cat in the world.

5 August is ⸨the hotter⸩ ⸨the hottest⸩ month of the year.

6 He studies the hardest ⸨of⸩ ⸨in⸩ all the students.

7 She is the most famous actress ⸨in⸩ ⸨of⸩ Korea.

다음 우리말과 뜻이 같도록 주어진 단어를 빈칸에 알맞은 형태로 쓰세요.

1 그는 한국에서 최고의 축구선수이다. good

➡ He is [the best] soccer player in Korea.

2 이 성은 세계에서 가장 오래되었다. old

➡ This castle is [ ] in the world.

3 나의 언니는 우리 가족 중에서 가장 키가 크다. tall

➡ My sister is [ ] in our family.

4 이 케이크는 그 빵집에서 가장 비싸다. expensive

➡ This cake is [ ] in the bakery.

5 그 판다는 그 동물원에서 가장 귀여웠다. cute

➡ The panda was [ ] in the zoo.

6 Carrie는 나의 반에서 가장 키가 작은 소녀이다. short

➡ Carrie is [ ] girl in my class.

7 Tom은 세 소년들 중에서 가장 높이 뛴다. high

➡ Tom jumps [ ] of the three boys.

8 그것은 마을에서 가장 큰 집이다. big

➡ It is [ ] house in the village.

9 그녀는 우리 학교에서 가장 재밌는 선생님이다. funny

➡ She is [ ] teacher in my school.

10 그는 모든 버스 운전사들 중에서 가장 조심성이 있다. careful

➡ He is [ ] of all the bus drivers.

★ soccer 축구
★ player 선수
★ castle 성
★ family 가족
★ expensive 비싼
★ bakery 빵집
★ village 마을
★ funny 재밌는
★ careful 조심성 있는
★ driver 운전사

최상급을 나타낼 때는
형용사나 부사 앞에
항상 the를 쓴다는 것을 기억해.

다음 밑줄 친 부분을 바르게 고쳐 최상급 문장을 다시 쓰세요.

1 He is <u>the luckier</u> man in the world.

➡ | He is the luckiest man in the world. |

2 This is <u>the most tallest</u> building in the city.

➡ | |

3 The Nile River is <u>the longgest</u> in the world.

➡ | |

4 She is <u>most famous</u> actress in Korea.

➡ | |

5 His room is <u>the large</u> in the hotel.

➡ | |

6 Spanish is <u>easiest</u> for him of all languages.

➡ | |

7 Christmas is <u>the most happy</u> day of the year.

➡ | |

8 Jason is <u>the richer</u> in the village.

➡ | |

9 Korea is <u>the beautifulest</u> country in the world.

➡ | |

10 This is <u>the cheap</u> bike in the store.

➡ | |

★ **lucky** 운이 좋은
★ **building** 건물
★ **city** 도시
★ **famous** 유명한
★ **actress** (여자) 배우
★ **Spanish** 스페인어
★ **language** 언어
★ **rich** 부유한
★ **village** 마을
★ **beautiful** 아름다운
★ **country** 나라
★ **cheap** (값이) 싼
★ **store** 가게

Unit
5

정답과 해설 15쪽

다음 우리말과 뜻이 같도록 주어진 단어를 배열하세요.

★ singer 가수
★ town 마을
★ restaurant 식당
★ company 회사
★ science 과학
★ interesting 흥미로운
★ subject 과목
★ sweet 달콤한
★ brave 용감한
★ war 전쟁
★ soldier 군인
★ expensive 비싼

1 그녀는 셋 중에서 최고의 가수였다.

was　she　the three　the best　of　singer

➡ She was the best singer of the three.

2 Sam은 팀에서 가장 빠른 선수이다.

the fastest　is　the team　Sam　player　on

➡

3 이 식당은 우리 마을에서 가장 멋지다.

in　the nicest　this　our town　is　restaurant

➡

4 예슬이는 그 회사에서 가장 열심히 일한다.

Yesul　the company　in　works　the hardest

➡

최상급 문장에서 비교의 범위나 대상은 전치사 in 또는 of로 나타낼 수 있어.

in (범위나 장소의) 단수명사
of (비교 대상의) 복수명사

5 과학은 나에게 가장 흥미로운 과목이다.

is　the most　science　interesting　for me　subject

➡

6 이것은 그 제과점에서 가장 달콤한 케이크이다.

the sweetest　this　the bakery　is　in　cake

➡

7 Parker는 그 전쟁에서 가장 용감한 군인이었다.

the bravest　Parker　the war　soldier　was　in

➡

8 그것은 그 가게에서 가장 비싼 가방이다.

in　it　expensive　the store　the most　is　bag

➡

정답과 해설 15쪽

다음 우리말과 뜻이 같도록 주어진 단어를 사용하여 문장을 쓰세요.
(필요하면 단어의 형태를 바꾸세요.)

★ village 마을
★ country 나라
★ world 세계, 세상
★ useful 유용한
★ tool 도구
★ famous 유명한
★ city 도시
★ orchestra 오케스트라
★ wonderful 멋진
★ museum 박물관

1 그것은 그 마을에서 가장 작은 집이다.

small   house   in the village

➡ It is the smallest house in the village.

2 Chile는 세계에서 가장 긴 나라이다.

long   country   in the world

➡

3 이것은 나에게 가장 유용한 도구이다.

useful   tool   for me

➡

4 그것은 그 도시에서 가장 유명한 식당이다.

famous   restaurant   in the city

➡

5 Lisa는 그 오케스트라에서 가장 나이가 많다.

old   in the orchestra

➡

6 Julie의 가방이 셋 중에서 가장 무겁다.

bag   heavy   of the three

➡

7 그는 세상에서 가장 멋진 아빠다.

wonderful   dad   in the world

➡

8 그것은 뉴욕에서 가장 큰 박물관이다.

big   museum   in New York

➡

비교 **83**

실전 테스트

[1~2] 다음 단어의 비교급과 최상급이 <u>잘못</u> 연결된 것을 고르세요.

1
① bad — worse — worst
② much — more — most
③ lazy — lazyer — lazyest
④ large — larger — largest
⑤ famous — more famous — most famous

★ bad 나쁜
★ lazy 게으른
★ famous 유명한

2
① fat — fater — fatest
② nice — nicer — nicest
③ good — better — best
④ early — earlier — earliest
⑤ dangerous — more dangerous — most dangerous

★ nice 멋진
★ dangerous 위험한

3 다음 빈칸에 들어갈 말로 알맞은 것을 고르세요.

> Linda is pretty. But her sister is _____ than her.

① pretty
② prettier
③ more prettier
④ more pretty
⑤ the prettiest

★ pretty 예쁜
★ but 그러나, 하지만

4 다음 빈칸에 들어갈 말로 알맞지 <u>않은</u> 것을 고르세요.

> Tyler is the _____ in his class.

① tallest
② wisest
③ smarter
④ most diligent
⑤ most popular

★ wise 현명한
★ smart 똑똑한
★ diligent 부지런한
★ popular 인기 있는

5 다음 빈칸에 알맞은 말을 바르게 짝지은 것을 고르세요.

> • Robin is the smartest boy _____ all the boys.
> • Mr. Kang is the kindest teacher _____ our school.

① of — on ② in — in
③ of — in ④ in — of
⑤ of — for

★ kind 친절한

6 다음 표의 내용과 일치하지 <u>않는</u> 것을 고르세요.

지역	서울(Seoul)	방콕(Bangkok)	도쿄(Tokyo)
평균 기온	17℃	23℃	15℃

① Seoul is cooler than Bangkok.
② Bangkok is warmer than Tokyo.
③ Seoul is warmer than Bangkok.
④ Tokyo is the coolest of the three.
⑤ Bangkok is the hottest of the three.

★ cool 시원한
★ warm 따뜻한
★ hot 더운

Unit
5

[7~8] 다음 밑줄 친 부분이 잘못 쓰인 것을 고르세요.

7 ① Fred is <u>taller than</u> me.
② These flowers are <u>prettier than</u> those.
③ Jessica sings <u>more beautifully than</u> Erin.
④ January is usually <u>more colder than</u> December.
⑤ My brother painted pictures <u>better than</u> me.

★ beautifully 아름답게
★ January 1월
★ usually 보통
★ December 12월
★ paint 그리다

8 ① Turtles live <u>longer than</u> people.
② My dad is <u>the oldest</u> in my family.
③ A motorcycle is <u>fastest than</u> a bicycle.
④ Sue is <u>the most beautiful</u> in her class.
⑤ This pizza is <u>more delicious than</u> that pizza.

★ long 오래
★ motorcycle 오토바이
★ bicycle 자전거
★ delicious 맛있는

서술형

[9~12] 다음 우리말과 뜻이 같도록 주어진 단어를 빈칸에 알맞은 형태로 쓰세요.

9

비행기는 기차보다 더 빠르다. fast

➡ An airplane is

[   ] than a train.

★ airplane 비행기
★ train 기차

10

그는 도로에서 최악의 운전자다. bad

➡ He is [   ]

driver on the road.

★ driver 운전자
★ road 도로, 길

11

수학은 영어보다 더 어렵다. difficult

➡ Math is [   ]

than English.

★ math 수학
★ difficult 어려운
★ English 영어

12

Emily는 그녀의 반에서 가장 인기가 있다.

popular

➡ Emily is [   ]

in her class.

★ popular 인기 있는
★ class 반, 학급

UNIT 6

접속사

Lesson 1 and, or, but

Lesson 2 because, so

접속사는 단어와 단어, 구와 구(두 개 이상의 단어 덩어리), 문장과 문장을 연결하는 역할을 해요.

접속사마다 쓰임이 다르기 때문에 단어들을 연결하는 의미에 따라 서로 다른 접속사를 사용해요.

and, or, but

and, or, but은 등위접속사라고 불러요. 등위접속사는 명사와 명사, 형용사와 형용사처럼 같은 역할을 하는 품사끼리 연결해요.

1 and

'~와, 그리고'라는 뜻으로, 보통 비슷한 내용을 연결해요.

Alicia is **smart and polite**. Alicia는 똑똑하고 예의바르다.

They ate some **bread and orange juice**. 그들은 빵과 오렌지 주스를 조금 먹었다.

I played the piano and she sang a song. 나는 피아노를 쳤고 그녀는 노래를 불렀다.

✏Tip 3개 이상의 단어를 연결할 때는 마지막 단어 앞에만 and를 쓰고 나머지는 콤마(,)로 연결해요.

We need some **sugar, flour, and salt**. 우리는 설탕, 밀가루, 그리고 소금이 조금 필요하다.

2 or

'또는, 아니면'이라는 뜻으로, 선택해야 하는 대상을 연결해요.

Do you want some **coffee or tea**? 너는 커피를 원하니 아니면 차를 원하니?

You can go to the library by **bus or subway**. 너는 버스 또는 지하철을 타고 도서관에 갈 수 있다.

We can choose **the red card or the green card**.

우리는 빨간색 카드 또는 초록색 카드를 선택할 수 있다.

3 but

'그러나, 하지만'이라는 뜻으로, 서로 반대되는 내용을 연결해요.

but이 문장과 문장을 연결할 때는 앞에 콤마를 써서 구분해.

She is **thin but strong**. 그녀는 말랐지만 힘이 세다.

He studied hard, but he failed the test. 그는 열심히 공부했지만 시험에서 떨어졌다.

I don't like pizza, but my sister loves it. 나는 피자를 싫어하지만, 내 여동생은 매우 좋아한다.

A 다음 주어진 접속사가 들어갈 자리로 알맞은 곳을 고르세요.

1 Mina is ① kind ②polite. `and`

2 Brian is tall, ① his brother is ② short. `but`

3 They were thirsty ① hungry ②. `and`

4 She will buy ① a yellow hat ② a white hat. `or`

5 The animal is ① cute ② dangerous. `but`

6 He bought a pen, ① a pencil, ② a ruler. `and`

7 Do you want ① some water ② orange juice? `or`

★ polite 예의바른
★ short 키가 작은
★ thirsty 목마른
★ animal 동물
★ dangerous 위험한
★ ruler 자
★ scary 무서운
★ socks 양말
★ picnic 소풍
★ soccer 축구

B 다음 주어진 두 단어 중에서 알맞은 것을 고르세요.

1 He is kind `or` (`but`) scary.

2 Did you buy some milk `and` `but` bread?

3 That car is heavy `or` `but` fast.

4 She bought new socks `but` `and` and shoes.

5 I'll go on a picnic on Friday `or` `but` Sunday.

6 We'll have pizza `or` `but` spaghetti for lunch.

7 We need balls, shoes, `and` `but` water for soccer.

다음 우리말과 뜻이 같도록 빈칸에 알맞은 접속사를 쓰세요.

1 이 상자는 크지만 가볍다.

➡ This box is big but light.

2 우리는 영화나 연극을 볼 것이다.

➡ We are going to watch a movie ⬚ a play.

3 미나는 친절하고 예의바르니?

➡ Is Mina kind ⬚ polite?

4 그녀는 말랐지만 그녀의 아들은 통통하다.

➡ She is thin, ⬚ her son is chubby.

5 그는 과일, 빵, 그리고 고기를 조금 샀다.

➡ He bought some fruits, bread, ⬚ meat.

6 너는 이 드레스 아니면 저 드레스를 입을 수 있다.

➡ You can wear this dress ⬚ that dress.

7 너는 약간의 종이와 가위가 필요하다.

➡ You need some paper ⬚ scissors.

8 나는 매우 배고팠지만, 그 케이크를 먹지 않았다.

➡ I was very hungry, ⬚ I didn't eat the cake.

9 우리는 방과 후에 축구나 농구를 한다.

➡ We play soccer ⬚ basketball after school.

10 Tony는 영어, 스페인어, 그리고 프랑스어를 할 줄 안다.

➡ Tony speaks English, Spanish, ⬚ French.

★ light 가벼운
★ play 연극
★ kind 친절한
★ polite 예의바른
★ thin 마른
★ chubby 통통한
★ fruit 과일
★ scissors 가위
★ basketball 농구
★ speak 말하다
★ Spanish 스페인어
★ French 프랑스어

and는 주로 비슷한 말을
but은 주로 반대의 말을
or은 주로 선택의 말을
연결한다는 것을 기억해.

90 UNIT 6

 정답과 해설 16쪽

다음 주어진 접속사를 알맞은 자리에 넣어 문장을 다시 쓰세요.

1 It will be windy cloudy tomorrow. (or)

➡ It will be windy or cloudy tomorrow.

2 They were rich unhappy. (but)

➡

3 I am learning math, science, music. (and)

➡

4 David liked me, I didn't like him. (but)

➡

5 We are going to play tennis basketball. (or)

➡

6 Eva went to a bookstore she bought a book. (and)

➡

7 Jack studied hard, he failed the test. (but)

➡

8 My mom is a teacher his mom is a designer. (and)

➡

9 She worked all day, she wasn't tired. (but)

➡

10 I will play the guitar the drums at the concert. (or)

➡

★ windy 바람이 부는

★ cloudy 흐린

★ rich 부자인

★ unhappy 불행한

★ learn 배우다

★ music 음악

★ bookstore 서점

★ fail (시험에) 떨어지다

★ designer 디자이너

★ all day 하루 종일

★ drum 드럼

★ concert 콘서트

Unit 6

> 문장의 어느 자리에 접속사를 넣어야 자연스러운 내용이 되는지 확인해 봐.

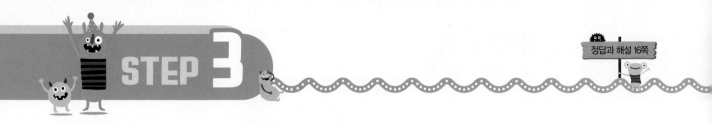
다음 우리말과 뜻이 같도록 주어진 단어를 배열하세요.

1 Kelly는 고양이들을 싫어하지만, 나는 그것들을 좋아한다.

| hate cats | I | Kelly | love them | but |

➡️ Kelly hates cats, but I love them.

2 이것들은 사과이고 저것들은 복숭아이다.

| peaches | are | these | and | apples | those | are |

➡️

3 그는 너의 아버지니 아니면 너의 삼촌이니?

| or | he | your uncle | is | your father |

➡️

4 그 시험은 어려웠지만, 그는 최선을 다했다.

| the test | but | did his best | he | was difficult |

➡️

5 너는 기린이 좋니 아니면 코끼리가 좋니?

| elephants | like | giraffes | or | you | do |

➡️

6 James는 피자와 스파게티를 먹고 있다.

| is eating | pizza | James | spaghetti | and |

➡️

7 나는 밤에 책 또는 잡지를 읽는다.

| at night | or | a magazine | I | a book | read |

➡️

8 눈이 오고 있었지만, 우리는 밖에서 놀았다.

| played outside | we | but | was snowing | it |

➡️

- ★ hate 싫어하다
- ★ peach 복숭아
- ★ do one's best
  최선을 다하다
- ★ difficult 어려운
- ★ elephant 코끼리
- ★ giraffe 기린
- ★ spaghetti 스파게티
- ★ at night 밤에
- ★ magazine 잡지
- ★ outside 밖에서

다음 우리말과 뜻이 같도록 주어진 단어를 사용하여 문장을 쓰세요.

1 내일은 비가 오거나 눈이 올 것이다.

rain   snow   tomorrow

➡ It will rain or snow tomorrow.

2 내 자전거는 오래됐지만 튼튼하다.

bicycle   old   strong

➡

3 그 선수들은 젊고 빠르다.

the players   young   fast

➡

4 그 곰은 매우 크지만 귀엽다.

the bear   very big   cute

➡

5 Henry는 중국어를 배우고 Mia는 스페인어를 배운다.

learns   Chinese   Spanish

➡

6 Yumi는 시계나 목걸이를 원한다.

wants   a watch   a necklace

➡

7 그는 피곤했지만 그의 숙제를 끝냈다.

tired   finished   homework

➡

8 나는 지우개, 종이, 그리고 가위가 필요하다.

need   an eraser   paper   scissors

➡

★ bicycle 자전거

★ strong 튼튼한

★ player 선수

★ young 젊은, 어린

★ Chinese 중국어

★ Spanish 스페인어

★ watch 시계

★ necklace 목걸이

★ finish 끝내다

★ homework 숙제

★ eraser 지우개

★ scissors 가위

Unit
6

Lesson 2 — because, so

1 because

- '왜냐하면, ~때문에'라는 뜻으로 원인이나 이유를 나타내요.
- 단어나 구가 아닌 문장과 문장을 연결해요.

My parents got angry because I came home late.
내가 집에 늦게 왔기 때문에 우리 부모님은 화가 나셨다.

Jake was hungry because he didn't eat breakfast.
아침을 먹지 않았기 때문에 Jake는 배가 고팠다.

> **Tip** Because를 문장 맨 앞에 쓸 수도 있는데, 이때는 콤마(,)와 함께 써야 해요.

He closed the door **because** it was cold. 그는 추웠기 때문에 문을 닫았다.
= **Because** it was cold, he closed the door.

문장의 내용이 원인을 나타내는지
결과를 나타내는지에 따라
because 또는 so를 사용해.

2 so

- '그래서'라는 뜻으로 결과를 나타내는 접속사예요.
- because처럼 문장과 문장을 연결해요.

He was very sick, so he was absent from school.
그는 매우 아파서 학교에 결석했다.

It was very hot, so I turned on the air conditioner.
아주 더워서 나는 에어컨을 켰다.

> **Tip** so는 결과를 나타내고, because는 원인이나 이유를 나타내요.

He had a bad cold, **so** he didn't go to school. 그는 심한 감기에 걸려서 학교에 가지 않았다.
                                   결과
→ He didn't go to school **because** he had a bad cold.
                                          이유

I don't have a key, **so** I can't open the box. 나는 열쇠가 없어서 그 상자를 열 수 없다.
                                결과
→ I can't open the box **because** I don't have a key.
                                       이유

A 다음 주어진 두 단어 중에서 알맞은 접속사를 고르세요.

1 I didn't go to school [so] [(because)] I caught a cold.

2 It snowed, [so] [because] we stayed at home.

3 He was tired, [so] [because] he went to bed early.

4 Mr. Hong is upset [so] [because] I was late.

5 We canceled the show [so] [because] it rained.

6 She lost the game, [so] [because] she cried.

7 I ate the pizza [so] [because] I was hungry.

★ catch a cold
  감기에 걸리다
★ stay 머무르다
★ upset 화가 난
★ cancel 취소하다
★ show 공연
★ lose (시합에서) 지다
★ game 시합, 경기
★ miss 놓치다
★ noisy 시끄러운
★ turn off ~을 끄다
★ full 배부른
★ thirsty 목마른
★ headache 두통
★ medicine 약

so는 결과를 나타내고,
because는 원인이나
이유를 나타내.

Unit
6

B 다음 밑줄 친 부분이 원인인지 결과인지 고르세요.

1 I missed the bus because I got up late. [(원인)] [결과]

2 It was noisy, so I turned off the TV. [원인] [결과]

3 It was very cold, so we didn't play soccer. [원인] [결과]

4 Because I was full, I didn't eat the bread. [원인] [결과]

5 It was sunny, so we went on a picnic. [원인] [결과]

6 He drank milk because he was thirsty. [원인] [결과]

7 I had a headache, so I took the medicine. [원인] [결과]

정답과 해설 17쪽

다음 우리말과 뜻이 같도록 빈칸에 알맞은 접속사를 쓰세요.

1 비가 내리고 있었기 때문에 그는 세차를 하지 않았다.

➡ He didn't wash his car [because] it was raining.

2 Ben은 바빠서 점심을 먹지 않을 것이다.

➡ Ben is busy, [   ] he will not have lunch.

3 나는 영국에서 왔기 때문에 영어를 할 수 있다.

➡ I can speak English [   ] I'm from England.

4 그는 아파서 의사의 진찰을 받으러 갔다.

➡ He was sick, [   ] he went to the doctor.

5 날씨가 흐리기 때문에 나는 우산을 가져갈 것이다.

➡ I'll take my umbrella [   ] it is cloudy.

6 Brian은 한 시간 동안 달려서 피곤했다.

➡ Brian ran for an hour, [   ] he was tired.

7 나는 졸렸기 때문에 커피를 마셨다.

➡ I drank coffee [   ] I was sleepy.

8 어두워서 우리는 불을 켰다.

➡ It was dark, [   ] we turned on the light.

9 Jen이 친절하기 때문에 그들은 그녀를 좋아한다.

➡ They like Jen [   ] she is kind.

10 Sam은 열심히 공부해서 그 시험에 통과했다.

➡ Sam studied hard, [   ] he passed the test.

★ wash (물로) 씻다

★ England 영국

★ sick 아픈

★ go to the doctor
  의사의 진찰을 받으러 가다

★ umbrella 우산

★ cloudy 흐린

★ sleepy 졸린

★ dark 어두운

★ turn on ~을 켜다

★ light (전깃)불, 전등

★ pass (시험에) 통과하다

STEP 2

정답과 해설 17쪽

다음 두 문장의 뜻이 같도록 주어진 접속사를 사용해서 문장을 다시 쓰세요.
(접속사가 문장의 중간에 오게 쓰세요.)

★ beautifully 아름답게
★ popular 인기 있는
★ game 경기, 시합
★ broken 고장난
★ stairs 계단
★ a lot 많이
★ snowman 눈사람
★ turn off ~을 끄다
★ heater 히터
★ apologize 사과하다
★ miss 놓치다
★ smart 똑똑한
★ solve (문제를) 풀다

1 He sings beautifully, so he is very popular. because

➡ He is very popular because he sings beautifully.

2 I will win the game because I can run really fast. so

➡

3 The elevator was broken, so I took the stairs. because

➡

4 It snowed a lot, so we made a snowman. because

➡

5 I'm not hungry because I ate three hamburgers. so

➡

6 She turned off the heater because it was hot. so

➡

제시된 두 문장 중에서
어떤 것이 원인을 나타내고
어떤 것이 결과를 나타내는지
먼저 확인해야 해.

7 I lost his pen, so I apologized to him. because

➡

8 They don't go to school because it is Sunday. so

➡

9 I missed the bus, so I was late for school. because

➡

10 He is smart, so he can solve the problem. because

➡

Unit
6

접속사 **97**

정답과 해설 17쪽

다음 우리말과 뜻이 같도록 주어진 단어를 배열하세요.
(접속사가 문장의 중간에 오게 쓰세요.)

★ noisy 시끄러운

★ outside 밖에, 바깥에

★ lose 잃어버리다

★ busy 바쁜

★ all morning 아침 내내

★ exercise 운동하다

★ healthy 건강한

1 밖이 매우 시끄럽기 때문에 나는 잘 수가 없다.

| so | it is | sleep | very noisy outside | I can't |

➡ It is very noisy outside so I can't sleep.

2 그녀는 가방을 잃어버렸기 때문에 새 가방을 하나 살 것이다.

| because | she lost | a new bag | she will buy | her bag |

➡

3 우리는 매우 바쁘기 때문에 너를 도와줄 수 없다.

| because | very busy | we can't | we are | help you |

➡

So 뒤에는 결과를
나타내는 내용이 오고,
because 뒤에는 원인을
나타내는 내용이 쓰여.

4 아주 추워서 나는 창문을 닫았다.

| so | the window | it was | I closed | very cold |

➡

5 나는 돈이 없기 때문에 그 카메라를 살 수 없다.

| because | I don't | buy the camera | have money | I can't |

➡

6 그는 아침 내내 테니스를 쳐서 배가 고팠다.

| so | he was | he played tennis | hungry | all morning |

➡

7 나의 엄마는 매일 운동을 하기 때문에 건강하다.

| because | she exercises | my mom | every day | is healthy |

➡

8 나는 피자를 만들 거라서 토마토 소스가 좀 필요하다.

| so | make pizza | I will | some tomato sauce | I need |

➡

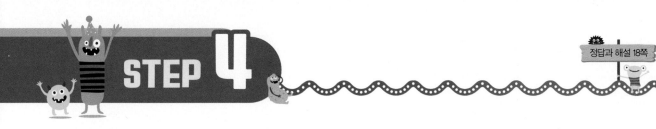

다음 우리말과 뜻이 같도록 주어진 단어를 사용하여 문장을 쓰세요.
(접속사가 문장의 중간에 오게 쓰고, 부정문은 줄임형으로 쓰세요.)

★ breakfast 아침 식사

★ hurt 다치다

★ arm 팔

★ fall down 넘어지다

★ sunny 날이 화창한

★ take a walk 산책하다

★ strong 힘이 센

★ carry 옮기다

★ drive 운전하다

1 나는 늦게 일어나서 아침을 먹을 수 없다.

so   get up late   eat breakfast

➡ I get up late, so I can't eat breakfast.

2 Clara는 친절해서 나는 그녀를 좋아한다.

so   kind   like

➡

3 아주 더웠기 때문에 Olivia는 아이스크림을 먹었다.

because   ate ice cream   very hot

➡

4 그는 어제 넘어졌기 때문에 팔을 다쳤다.

because   hurt his arm   fell down yesterday

➡

5 날이 화창해서 우리는 산책을 했다.

so   sunny   took a walk

➡

6 나는 친구들이 많이 있기 때문에 행복하다.

because   happy   have many friends

➡

7 그녀는 힘이 세서 많은 책을 옮길 수 있다.

so   strong   carry many books

➡

8 나는 운전을 할 수 없기 때문에 차를 가지고 있지 않다.

because   have a car   drive

➡

Unit 6

실전 테스트

[1~2] **다음 우리말과 뜻이 같도록 빈칸에 들어갈 알맞은 접속사를 고르세요.**

1

> • 그는 감기에 걸려서 밖에서 놀 수 없다.
>   He can't play outside _____ he has a cold.

① because　　　　② and
③ or　　　　④ but
⑤ so

★ outside 밖에서
★ have a cold
　감기에 걸리다

2

> • 나는 공포 영화를 좋아하지만 그는 코미디 영화를 좋아한다.
>   I like horror movies _____ he likes comedy movies.

① because　　　　② and
③ or　　　　④ but
⑤ so

★ horror movie
　공포 영화

[3~4] **다음 빈칸에 공통으로 들어갈 말로 알맞은 것을 고르세요.**

3

> • I bought some flowers _____ a vase in the store.
> • We need some flour, eggs, _____ milk.

① but　　　　② and
③ or　　　　④ so
⑤ because

★ vase 꽃병
★ store 가게
★ flour 밀가루

4

> • We can go skating _____ skiing this Saturday.
> • Is he your son _____ your nephew?

① but　　　　② and
③ or　　　　④ so
⑤ because

★ go skating
　스케이트 타러 가다
★ nephew (남자) 조카

5 다음 빈칸에 들어갈 말을 바르게 짝지은 것을 고르세요.

> • I feel good _____ I won the game.
> • We can go to a movie _____ go to a concert tomorrow.

① or — so
② but — and
③ but — or
④ because — so
⑤ because — or

★ feel good 기분이 좋다
★ win 이기다
★ go to a movie
  영화 보러 가다
★ concert 콘서트

6 다음 우리말을 영어로 바르게 쓴 것을 고르세요.

> 펭귄은 날개가 있지만 날 수 없다.

① Penguins have wings and they can't fly.
② Penguins can't fly because they have wings.
③ Penguins have wings so they can't fly.
④ Penguins have wings but they can't fly.
⑤ Penguins can't fly or they have wings.

★ wing 날개
★ fly 날다

[7~8] 다음 밑줄 친 부분이 잘못 쓰인 것을 고르세요.

7
① Sue is in hospital, <u>because</u> she is sick.
② I broke the window, <u>so</u> my mom got angry.
③ Turn off the TV <u>because</u> your sister is sleeping.
④ He was late for school <u>because</u> he didn't hurry.
⑤ Jane won't buy this red skirt <u>so</u> she doesn't like red.

★ hospital 병원
★ get angry 화가 나다
★ turn off ~을 끄다
★ miss 놓치다
★ hurry 서두르다

8
① Is she American <u>or</u> Canadian?
② Do you want some water <u>or</u> juice?
③ He will arrive on Monday <u>and</u> Tuesday.
④ It was very cold, <u>so</u> I closed the window.
⑤ He hates carrots <u>but</u> he'll like this carrot cake.

★ American 미국인
★ Canadian 캐나다인
★ arrive 도착하다
★ hate 싫어하다
★ carrot 당근

Unit
6

서술형

[9~12] 다음 우리말과 뜻이 같도록 주어진 단어를 사용하여 문장을 완성하세요.

9

그 이야기는 매우 짧았지만 지루했다.

short   boring

➡ The story was very

[   ] .

★ short 짧은
★ boring 지루한

10

케이크나 아이스크림을 좀 드시겠어요?

cake   ice cream

➡ Would you like some

[   ] ?

★ Would you like
~ 드시겠어요?

11

매우 피곤해서 나는 잠이 들었다.

fell asleep

➡ I was very tired,

[   ] .

★ tired 피곤한
★ fall asleep 잠들다

12

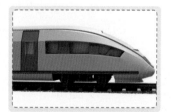

나는 늦게 일어났기 때문에 기차를 놓쳤다.

got up late

➡ I missed the train

[   ] .

★ late 늦은
★ miss 놓치다

UNIT 7

감탄문

Lesson 1 What으로 시작하는 감탄문
Lesson 2 How로 시작하는 감탄문

What a smart girl you are!
넌 정말 똑똑한 소녀구나!

How smart you are!
넌 정말 똑똑하구나!

감탄문이란 기쁨, 슬픔, 놀람과 같은 자신의 감정이나 느낌을 강하게 표현하는 문장이에요.
감탄문은 평서문에 느낌표를 붙여서 나타낼 수도 있지만, 보통 What이나 How를 써서 나타내요.

What으로 시작하는 감탄문

1 단수명사가 올 경우   What + (a/an) + 형용사 + 단수명사 + (주어 + 동사)!

This is **a** very nice **bag**. 〈평서문〉 이것은 매우 멋진 가방이다.

What a nice **bag** (this is)! 〈감탄문〉 (이것은) 정말 멋진 가방이구나!

What + a + 형용사 + 단수명사 + (주어 + 동사)!

It is very nice **weather**. 〈평서문〉 날씨가 매우 좋다.

What nice **weather** (it is)! 〈감탄문〉 정말 날씨가 좋구나!

What + 형용사 + 셀 수 없는 명사 + (주어 + 동사)!

weather처럼
셀 수 없는 명사의 경우에는
a / an을 쓰지 않아.

Tip 감탄문의 끝에 오는 주어와 동사는 생략할 수 있어요.

What an interesting movie it is! 그것은 정말 흥미로운 영화구나!

= **What** an interesting movie!

2 복수명사가 올 경우   What + 형용사 + 복수명사 + (주어 + 동사)!

They are very nice **bags**. 〈평서문〉 그것들은 매우 멋진 가방이다.

What nice **bags** (they are)! 〈감탄문〉 (그것들은) 정말 멋진 가방이구나!

What + 형용사 + 복수명사 + (주어 + 동사)!

복수명사이므로
관사 a / an을 쓰지 않아.

Those are very beautiful **flowers**. 〈평서문〉 저것들은 매우 아름다운 꽃이다.

What beautiful **flowers** (those are)! 〈감탄문〉 (저것들은) 정말 아름다운 꽃이구나!

What + 형용사 + 복수명사 + (주어 + 동사)!

Tip What으로 시작하는 감탄문에서 형용사는 쓰지 않을 때도 있지만, 명사는 반드시 들어가야 해요.

What a pity! 불쌍해라! ※ pity : (명사) 유감, 안된 일

What a surprise! 놀라워라! ※ surprise : (명사) 놀라움, 뜻밖의 일

What fools! 어리석은 사람들! ※ fool : (명사) 바보, 어리석은 사람

A 다음 주어진 단어가 들어갈 위치로 알맞은 곳을 고르세요.

1 What ① a② girl she is! `pretty`

2 What ① big house this ② is! `a`

3 What ① a strong boy he ② ! `is`

4 What an ① amazing ② it is! `story`

5 What a cute ① you were ② ! `girl`

6 What ① lovely babies they ② ! `are`

7 What ① books ② those are! `interesting`

★ pretty 예쁜

★ strong 힘센

★ amazing 놀라운

★ lovely 사랑스러운

★ interesting 흥미로운

★ clean 깨끗한

★ runner 달리기 선수

★ hair 머리카락

★ puppy 강아지

★ expensive 비싼

★ watch 시계

★ beautiful 아름다운

B 다음 주어진 말 중에서 알맞은 것을 고르세요.

1 What nice `house` (`houses`) they are!

2 `What` `What a` clean river this is!

3 What a fast runner `he is` `they are` !

4 `What` `What a` long hair she has!

5 What cute puppies `it is` `they are` !

6 What an expensive `watch` `watches` it is!

7 What beautiful flowers `this is` `they are` !

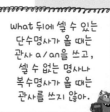
what 뒤에 셀 수 있는
단수명사가 올 때는
관사 a / an을 쓰고,
셀 수 없는 명사나
복수명사가 올 때는
관사를 쓰지 않아.

Unit
7

감탄문 **105**

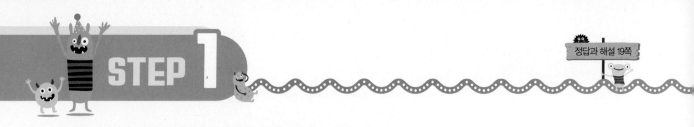
다음 문장을 감탄문으로 바꿀 때 빈칸에 들어갈 알맞은 말을 쓰세요.

1 They are very smart boys.

➡ [What] smart boys they are!

2 It is a very sunny day.

➡ What [　　　　　] sunny day it is!

3 She is a very lazy student.

➡ What a lazy student [　　　　　] is!

4 It is a very sad movie.

➡ What a sad movie it [　　　　　]!

5 It is a very amazing robot.

➡ What [　　　　　] amazing robot it is!

6 You are a very polite girl.

➡ What a polite [　　　　　] you are!

7 They have a very nice house.

➡ What a [　　　　　] house they have!

8 Those are very colorful flowers.

➡ What colorful [　　　　　] those are!

9 He is a very cute boy.

➡ What a cute boy he [　　　　　]!

10 They are very wonderful paintings.

➡ What [　　　　　] paintings they are!

★ smart 똑똑한
★ sunny 화창한
★ lazy 게으른
★ amazing 놀라운
★ polite 예의바른
★ colorful 다채로운
★ wonderful 멋진
★ painting 그림

평서문에서 내용을 강조하기 위해 쓰는 very는 감탄문에서 what으로 바뀐다는 걸 기억해.

다음 밑줄 친 부분을 바르게 고쳐 문장을 다시 쓰세요.

1 What a handsome man <u>is he</u>!

➡ What a handsome man he is!

2 What a sour orange these are!

➡

3 What <u>a old</u> car John has!

➡

4 What <u>long bridges</u> it is!

➡

5 What a wonderful voice <u>has Irene</u>!

➡

6 What <u>a fancy shoes</u> these are!

➡

7 What <u>kind teacher</u> she is!

➡

8 What <u>a garden beautiful</u> they have!

➡

9 What a great musical <u>is it</u>!

➡

10 What <u>interesting books</u> it is!

➡

★ handsome 잘생긴

★ sour 시큼한, 신

★ old 오래된

★ bridge 다리

★ voice 목소리

★ fancy 화려한

★ garden 정원

★ beautiful 아름다운

★ musical 뮤지컬

★ interesting 흥미로운

what으로 시작하는 감탄문은
「what + (관사) + 형용사 +
명사 + (주어 + 동사)!」
순서로 써.

Unit
7

다음 문장을 What으로 시작하는 감탄문으로 바꿔 쓰세요.

1 He is a very great writer.

➡ What a great writer he is!

2 It is very cold water.

➡

3 She has very old coins.

➡

4 This is very delicious bread.

➡

5 He is a very famous singer.

➡

6 It is a very exciting game.

➡

7 It is a very expensive coat.

➡

8 Those are very nice sunglasses.

➡

9 You have a very smart dog.

➡

10 They are very brave police officers.

➡

★ great 훌륭한
★ writer 작가
★ coin 동전
★ delicious 맛있는
★ famous 유명한
★ singer 가수
★ exciting 신나는
★ expensive 비싼
★ smart 똑똑한
★ brave 용감한
★ police officer 경찰관

셀 수 없는 명사거나
복수명사일 때는
부정관사 a / an을
쓰지 않아.

108 UNIT 7

다음 우리말과 뜻이 같도록 주어진 단어를 사용하여 문장을 쓰세요.

1 그는 정말 가느다란 손가락들을 가지고 있구나! `thin fingers`

➡ What thin fingers he has!

2 그것은 정말 놀라운 자동차구나! `amazing car`

➡

3 이것은 정말 편안한 소파구나! `comfortable sofa`

➡

4 그것은 정말 깨끗한 호수구나! `clean lake`

➡

5 그것들은 정말 쉬운 문제구나! `easy questions`

➡

6 그것은 정말 멋진 콘서트구나! `wonderful concert`

➡

7 너는 정말 흥미로운 취미를 가지고 있구나! `interesting hobby`

➡

8 이것들은 정말 따뜻한 장갑이구나! `warm gloves`

➡

9 그것들은 정말 예쁜 치마들이구나! `pretty skirts`

➡

10 그것은 정말 지루한 영화구나! `boring movie`

➡

★ thin 가느다란
★ finger 손가락
★ amazing 놀라운
★ comfortable 편안한
★ clean 깨끗한
★ lake 호수
★ question 문제
★ wonderful 멋진
★ concert 콘서트
★ hobby 취미
★ warm 따뜻한
★ gloves 장갑
★ pretty 예쁜
★ boring 지루한

What 뒤에 형용사가 올 때도
형용사의 첫 소리가 모음이면
a가 아닌 an을 써야 해.

Unit
7

감탄문 **109**

How로 시작하는 감탄문

❶ 형용사가 올 경우   `How` + `형용사` + `(주어 + 동사)!`

The movie is very **boring**. 〈평서문〉 그 영화는 매우 지루하다.

How boring the movie is! 〈감탄문〉 그 영화는 정말 지루하구나!

How + 형용사 + 주어 + 동사 !

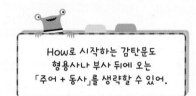

How로 시작하는 감탄문도
형용사나 부사 뒤에 오는
「주어 + 동사」를 생략할 수 있어.

These bags are very **nice**. 〈평서문〉 이 가방들은 매우 멋지다.

How nice these bags are! 〈감탄문〉 이 가방들은 정말 멋지구나!

How + 형용사 + 주어 + 동사 !

> **Tip** 감탄문을 만들 때 꾸밈을 받는 명사가 있으면 What, 명사가 없으면 How를 써요.

What a nice <u>hat</u> this is! 이것은 정말 멋진 모자구나!
How nice this hat is! 이 모자는 정말 멋지구나!

❷ 부사가 올 경우   `How` + `부사` + `(주어 + 동사)!`

She runs very **fast**. 〈평서문〉 그녀는 매우 빨리 달린다.

How fast she runs! 〈감탄문〉 그녀는 정말 빨리 달리는구나!

How + 부사 + 주어 + 동사 !

The bird flies very **high**. 〈평서문〉 그 새는 매우 높이 난다.

How high the bird flies! 〈감탄문〉 그 새는 정말 높이 나는구나!

How + 부사 + 주어 + 동사 !

> **Tip** How 뒤에 형용사가 오는 경우에는 be동사를 쓰고, 부사가 오는 경우에는 일반동사를 써요.

How heavy the chair **is**! 그 의자는 정말 무겁구나!
How fast the car **runs**! 그 차는 정말 빨리 달리는구나!

정답과 해설 20쪽

A 다음 주어진 단어가 들어갈 위치로 알맞은 곳을 고르세요.

1 How ① this river is ② ! clean

2 How ① quickly he ② ! eats

3 How easily ① forget ② ! you

4 How high ① the ② fly! birds

5 How cute ① the hamsters ② ! are

6 How ① she ② sings! well

7 How ① fresh ② vegetables are! these

★ river 강
★ quickly 빠르게
★ easily 쉽게
★ forget 잊다
★ hamster 햄스터
★ fresh 신선한
★ vegetable 채소
★ short 짧은
★ foolish 어리석은
★ slowly 느리게
★ snail 달팽이
★ move 움직이다
★ place 장소
★ wonderful 멋진
★ world 세상, 세계

B 다음 주어진 말 중에서 알맞은 것을 고르세요.

1 How   What short hair she has!

2 How   What foolish he is!

3 How   What small the cat is!

4 How   What a hot day it is!

5 How   What slowly snails move!

6 How   What beautiful this place is!

7 How   What a wonderful world it is!

명사가 있을 때는 What으로,
명사가 없을 때는 How로
시작하는 감탄문을 만들 수 있어.
「주어 + 동사」를 빼고
명사가 있는지를 확인해 봐.

Unit
7

감탄문 **111**

정답과 해설 20쪽

다음 문장을 감탄문으로 바꿀 때 빈칸에 들어갈 알맞은 말을 쓰세요.

1 The children are very lovely.

➡ [How] lovely the children are!

2 The bridge is very long.

➡ How [   ] the bridge is!

3 You are very lucky.

➡ How lucky you [   ] !

4 The cookies are very delicious.

➡ How [   ] the cookies are!

5 Mia runs very fast.

➡ How fast Mia [   ] !

6 My father is very healthy.

➡ How [   ] my father is!

7 They sing very beautifully.

➡ How beautifully they [   ] !

8 The boy plays soccer very well.

➡ How well [   ] plays soccer!

9 Your brother is very busy.

➡ How busy your brother [   ] !

10 Leo lives very happily.

➡ How [   ] Leo lives!

★ lovely 사랑스러운
★ bridge 다리
★ lucky 운이 좋은
★ delicious 맛있는
★ healthy 건강한
★ beautifully 아름답게
★ well 잘
★ busy 바쁜
★ live 살다
★ happily 행복하게

How로 시작하는 감탄문은
형용사나 부사 뒤에
수식을 받는 명사가 없고
바로 「주어 + 동사」가 이어져.

정답과 해설 20쪽

다음 밑줄 친 부분을 바르게 고쳐 문장을 다시 쓰세요.

1 <u>How a large</u> the park is!

➡ How large the park is!

2 <u>What lazy</u> the boy is!

➡

3 How friendly the teacher <u>are</u>!

➡

4 <u>What fat</u> these pigs are!

➡

5 How sad <u>is the movie</u>!

➡

6 <u>What loudly</u> you snore!

➡

7 How high <u>jumps Emma</u>!

➡

8 How wise your parents <u>is</u>!

➡

9 <u>What well</u> they dance!

➡

10 <u>How very brave</u> the soldier is!

➡

★ large 큰
★ park 공원
★ lazy 게으른
★ friendly 친절한
★ fat 뚱뚱한
★ loudly 시끄럽게
★ snore 코를 골다
★ wise 현명한
★ brave 용감한
★ soldier 군인

형용사의 꾸밈을 받는
명사가 없으면 How로,
있으면 what으로
감탄문을 시작해!

Unit
7

감탄문 **113**

다음 문장을 How로 시작하는 감탄문으로 바꿔 쓰세요.

1 This food is very healthy.

➡ How healthy this food is!

★ healthy 건강에 좋은

★ angry 화가 난

★ funny 재미있는

★ friendly 상냥한

★ exciting 흥미진진한

★ busy 바쁜

★ question 문제

★ difficult 어려운

★ fluently 유창하게

★ throw 던지다

★ far 멀리

2 They are very angry.

➡

3 Your sister is very funny.

➡

4 That boy is very friendly.

➡

5 Your shoes are very big.

➡

6 The game is very exciting.

➡

7 Your mother is very busy.

➡

평서문의 very를 감탄문의 How로 바꾼다고 생각해~

8 This question is very difficult.

➡

9 He speaks English very fluently.

➡

10 She throws the ball very far.

➡

다음 우리말과 뜻이 같도록 주어진 단어를 사용하여 문장을 쓰세요.

1 이 장미들은 정말 아름답구나! [beautiful] [roses]
➡ How beautiful these roses are!

2 네 방은 정말 크구나! [big] [room]
➡

3 이 칼은 정말 날카롭구나! [sharp] [knife]
➡

4 저 별들은 정말 밝구나! [bright] [stars]
➡

5 이 수프는 정말 뜨겁구나! [hot] [soup]
➡

6 저 탑은 정말 높구나! [high] [tower]
➡

7 네 양말은 정말 더럽구나! [dirty] [socks]
➡

8 그 정원은 정말 크구나! [large] [the garden]
➡

9 그들은 정말 우아하게 춤을 추는구나! [gracefully] [dance]
➡

10 그는 정말 바이올린을 잘 연주하는구나! [well] [plays the violin]
➡

★ beautiful 아름다운
★ sharp 날카로운
★ knife 칼
★ bright 밝은
★ star 별
★ tower 탑
★ dirty 더러운
★ large 큰
★ garden 정원
★ gracefully 우아하게
★ violin 바이올린

How로 시작하는 감탄문은
「How + 형용사/부사 + 주어
+ 동사!」 순서로 써.

Unit
7

감탄문 115

[1~2] 다음 빈칸에 들어갈 말로 알맞은 것을 고르세요.

1

_____ a wonderful voice she has!

① How   ② What
③ Where   ④ Whose
⑤ Why

★ wonderful
   멋진, 훌륭한
★ voice 목소리

2

_____ pretty your smile is!

① How   ② What
③ Where   ④ Whose
⑤ Why

★ pretty 예쁜
★ smile 미소

3 다음 문장에서 a가 들어갈 위치를 고르세요.
① What ② cute ③ doll ④ this ⑤ is!

★ cute 귀여운
★ doll 인형

4 다음 빈칸에 들어갈 말이 나머지 넷과 <u>다른</u> 것을 고르세요.
① _____ friendly she is!
② _____ funny the boys are!
③ _____ big the house is!
④ _____ a nice girl she is!
⑤ _____ exciting the game is!

★ friendly 친절한
★ funny 재밌는
★ exciting 흥미진진한

[5~6] 다음 빈칸에 공통으로 알맞은 것을 고르세요.

5

> • _____ did you buy yesterday?
> • _____ a wise daughter you have!

① What   ② How
③ When   ④ Where
⑤ Why

★ buy 사다
★ yesterday 어제
★ wise 현명한
★ daughter 딸

6

> • _____ happy I am!
> • _____ old are you?

① What   ② Whose
③ How   ④ When
⑤ Why

★ happy 행복한

[7~8] 다음 밑줄 친 부분이 잘못 쓰인 것을 고르세요.

7
① How poor you are!
② What a big city it is!
③ How cute socks these are!
④ What an honest man he is!
⑤ How tall those giraffes are!

★ poor 불쌍한, 가난한
★ socks 양말
★ honest 정직한
★ giraffe 기린

Unit
7

8
① What smart he is!
② How high she jumped!
③ How well he plays the guitar!
④ What an expensive bag it is!
⑤ How fresh those vegetables are!

★ smart 똑똑한
★ expensive 비싼
★ fresh 신선한
★ vegetable 야채

서술형

[9~12] 다음 우리말과 뜻이 같도록 주어진 단어를 사용하여 문장을 완성하세요.

9

그는 정말 훌륭한 예술가구나!

great   artist

➡ [＿＿＿＿＿＿＿＿＿＿] he is!

★ great 훌륭한
★ artist 예술가

10

네 아들들은 정말 멋지구나!   cool

➡ [＿＿＿＿＿＿＿＿＿＿] your

sons are!

★ cool 멋진

11

너는 정말 멋진 셔츠를 입고 있구나!

nice   shirt

➡ [＿＿＿＿＿＿＿＿＿＿] you

are wearing!

★ shirt 셔츠
★ wear 입다

12

이 아이스크림은 정말 맛있구나!

delicious

➡ [＿＿＿＿＿＿＿＿＿＿] this

ice cream is!

★ delicious 맛있는

부가의문문

Lesson 1 부가의문문의 형태
Lesson 2 여러 가지 부가의문문

You made this cake,
didn't you?
네가 이 케이크를 만들었어, 그렇지 않니?

부가의문문(tag question)이란 평서문 뒤에 꼬리표(tag)처럼 부가적으로 붙이는 의문문으로 '그렇지?', '그렇지 않니?'라는 뜻을 나타내고, 무언가를 확인하거나 상대방에게 동의를 구할 때 쓰는 의문문이에요.

부가의문문의 형태

1 be동사의 부가의문문

앞에 be동사가 쓰였으면 부가의문문에서도 be동사를 사용해요.

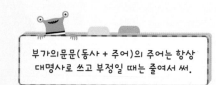

부가의문문(동사 + 주어)의 주어는 항상 대명사로 쓰고 부정일 때는 줄여서 써.

부가의문문	의미
긍정문, be동사 + not + 주어(대명사)?	~이다 / ~이었다, 그렇지 않니?
부정문, be동사 + 주어(대명사)?	~이 아니다 / ~이 아니었다, 그렇지?

John **is** 13 years old, **isn't he**? John은 열세 살이야, 그렇지 않니?
(긍정) (부정)

You **are not** hungry, **are you**? 너는 배고프지 않아, 그렇지?
(부정) (긍정)

부가의문문은 앞의 내용과 항상 반대로 써야 해. 그래서 앞부분이 긍정이면 부가의문문은 부정으로, 앞부분이 부정이면 부가의문문은 긍정으로 써.

This bag **is** pretty, **isn't it**? 이 가방은 예뻐, 그렇지 않니?

She **is** very tall, **isn't she**? 그녀는 키가 매우 커, 그렇지 않니?

The movie **wasn't** funny, **was it**? 그 영화는 재미없었어, 그렇지?

They **weren't** in the library, **were they**? 그들은 도서관에 없었어, 그렇지?

2 일반동사의 부가의문문

앞에 일반동사가 쓰였으면 부가의문문에서는 조동사 do / does / did를 사용해요.

부가의문문	의미
긍정문, don't / doesn't / didn't + 주어(대명사)?	~하다 / ~했다, 그렇지 않니?
부정문, do / does / did + 주어(대명사)?	~하지 않는다 / ~하지 않았다, 그렇지?

You **have** a sister, **don't you**? 너는 여동생이 있어, 그렇지 않니?
(긍정) (부정)

He **didn't buy** that jacket, **did he**? 그는 저 재킷을 사지 않았어, 그렇지?
(부정) (긍정)

You **walk** to school, **don't you**? 너는 학교에 걸어가지, 그렇지 않니?

John **finished** his homework, **didn't he**? John은 숙제를 끝냈어, 그렇지 않니?

They **didn't go** fishing, **did they**? 그들은 낚시하러 가지 않았어, 그렇지?

She **doesn't like** pizza, **does she**? 그녀는 피자를 좋아하지 않아, 그렇지?

 정답과 해설 22쪽

A 다음 주어진 말 중에서 알맞은 부가의문문을 고르세요.

1 She is not sick, ~~is she~~ isn't she ?

2 Jason has a brother, isn't he doesn't he ?

3 They are from England, isn't it aren't they ?

4 He passed the test, didn't he doesn't he ?

5 They were happy, aren't they weren't they ?

6 Hanna didn't hear the news, did she didn't she ?

★ sick 아픈
★ England 영국
★ pass (시험에) 통과하다
★ news 소식
★ hungry 배고픈
★ do one's best
   최선을 다하다
★ student 학생
★ girlfriend 여자친구

B 다음 빈칸에 알맞은 말을 <보기>에서 기호를 골라 쓰세요.

| 보기 | ⓐ was he | ⓑ does he | ⓒ don't you |
| | ⓓ isn't she | ⓔ aren't they | ⓕ didn't they |

1 You have a camera, ___ⓒ___ ?

2 He wasn't hungry, _____ ?

3 They did their best, _____ ?

4 Mike doesn't like apples, _____ ?

5 They are good students, _____ ?

6 Beth is your girlfriend, _____ ?

부가의문문 앞에 be동사가
쓰였는지 일반동사가
쓰였는지, 내용이 긍정인지
부정인지 판단해서 알맞은
부가의문문을 찾아야 해~

Unit
8

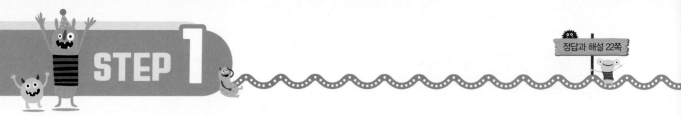

다음 우리말과 뜻이 같도록 빈칸에 알맞은 부가의문문을 쓰세요.

1 너는 수영을 좋아하지 않아, 그렇지?

➡ You don't like swimming, [do you] ?

2 너의 아버지는 피곤하셨어, 그렇지 않니?

➡ Your father was tired, [　　　] ?

3 그들은 창문을 깨지 않았어, 그렇지?

➡ They didn't break the window, [　　　] ?

4 이 스마트폰은 너의 것이 아니야, 그렇지?

➡ This smartphone isn't yours, [　　　] ?

5 그녀는 그 사진을 보여줬어, 그렇지 않니?

➡ She showed the picture, [　　　] ?

6 그 시험은 쉽지 않았어, 그렇지?

➡ The test wasn't easy, [　　　] ?

7 그는 그 탁자를 사지 않았어, 그렇지?

➡ He didn't buy the table, [　　　] ?

8 너의 학교는 여기서 멀어, 그렇지 않니?

➡ Your school is far from here, [　　　] ?

9 그의 여동생은 행복해 보여, 그렇지 않니?

➡ His sister looks happy, [　　　] ?

10 이 블루베리들은 신선해, 그렇지 않니?

➡ These blueberries are fresh, [　　　] ?

★ swimming 수영
★ tired 피곤한
★ break 깨다
★ window 창문
★ smartphone 스마트폰
★ show 보여주다
★ picture 사진
★ test 시험
★ easy 쉬운
★ far 먼
★ look ~해 보이다

부가의문문을 쓸 때
확인해야 하는 세 가지를 기억해.
1. 동사의 형태
2. 동사의 시제
3. 긍정 or 부정

다음 밑줄 친 부분을 바르게 고쳐 문장을 다시 쓰세요.

1 She was in the theater, <u>didn't she</u>?

➡ She was in the theater, wasn't she?

2 Your brother doesn't wear glasses, <u>is he</u>?

➡

3 The computer is new, <u>doesn't it</u>?

➡

4 She put sugar in the coffee, <u>did she</u>?

➡

5 The watch isn't expensive, <u>isn't it</u>?

➡

6 They didn't go hiking, <u>do they</u>?

➡

7 The flowers are beautiful, <u>isn't it</u>?

➡

8 Alice and Ted ate the pizza, <u>didn't she</u>?

➡

9 His sister is five years old, <u>wasn't she</u>?

➡

10 Your uncle doesn't have any cats, <u>is he</u>?

➡

★ theater 극장

★ wear 쓰다, 입다

★ glasses 안경

★ new 새로운

★ put 넣다, 두다

★ sugar 설탕

★ watch 시계

★ expensive 비싼

★ go hiking
하이킹(도보 여행)을 가다

부가의문문의 주어는
항상 대명사로 쓰기 때문에
앞의 나온 명사의 수와 인칭을
파악해서 적절한 대명사로
바꿔주어야 해.

정답과 해설 22쪽

다음 문장에 알맞은 부가의문문을 덧붙여 문장을 다시 쓰세요.

1 You don't need paper and scissors.

➡ You don't need paper and scissors, do you?

2 His sister is ten years old.

➡

3 My mom didn't tell a lie.

➡

4 The box wasn't empty.

➡

5 Jina and Lisa live in San Francisco.

➡

6 He is not a baseball player.

➡

7 Your brother doesn't eat seafood.

➡

8 You are from Mexico.

➡

9 Mark arrived earlier than you.

➡

10 The players are stronger than us.

➡

* paper 종이
* scissors 가위
* tell 말하다
* lie 거짓말
* empty 비어 있는
* player (운동) 선수
* seafood 해산물
* arrive 도착하다
* early 일찍
* strong 힘이 센

'긍정문'일 때는
부정의 부가의문문을 쓰고,
'부정문'일 때는
긍정의 부가의문문을 써야 해.

124 UNIT 8

다음 우리말과 뜻이 같도록 주어진 단어를 사용하여 문장을 쓰세요.

★ story 이야기
★ true 사실인
★ watch 보다
★ pants 바지
★ math 수학
★ picture 사진
★ Chinese 중국어
★ difficult 어려운
★ puppy 강아지
★ cute 귀여운

1 그녀는 일기를 쓰지 않아, 그렇지? keep a diary

➡ She doesn't[does not] keep a diary, does she?

2 그 이야기는 사실이 아니야, 그렇지? the story true

➡

3 우리는 그 영화를 보지 않았어, 그렇지? watch the movie

➡

4 너는 그 바지가 맘에 들지 않아, 그렇지? like the pants

➡

5 그는 네 수학 선생님이었어, 그렇지 않니? math teacher

➡

6 Ted와 Jane은 그 수업을 들어, 그렇지 않니? take the class

➡

부가의문문의 주어는 항상 대명사로 쓰고 부정일 때는 줄임형으로 써.

7 너는 그 사진들을 찍었어, 그렇지 않니? took the pictures

➡

8 그의 부모님은 집에 계시지 않아, 그렇지? parents at home

➡

Unit 8

9 중국어는 어려워, 그렇지 않니? Chinese difficult

➡

10 그 강아지들은 귀여워, 그렇지 않니? the puppies cute

➡

여러 가지 부가의문문

1 조동사의 부가의문문

앞에 조동사가 쓰였으면 부가의문문에서도 같은 조동사를 사용해요.

부가의문문	의미
긍정문, can't / won't + 주어(대명사) ?	~할 수 있다 / ~할 것이다, 그렇지 않니?
부정문, can / will + 주어(대명사) ?	~할 수 없다 / ~하지 않을 것이다, 그렇지?

You **can** speak Chinese, **can't you**? 너는 중국어를 할 수 있어, 그렇지 않니?
(긍정)   (부정)

He **won't** go to the zoo, **will he**? 그는 동물원에 가지 않을 거야, 그렇지?
(부정)   (긍정)

John **can** drive a car, **can't he**? John은 차를 운전할 수 있어, 그렇지 않니?

You **will** go to the party, **won't you**? 너는 그 파티에 갈 거야, 그렇지 않니?

You **can't** make a cake, **can you**? 너는 케이크를 못 만들어, 그렇지?

They **won't** play soccer, **will they**? 그들은 축구를 하지 않을 거야, 그렇지?

2 명령문 / 제안문의 부가의문문

- 명령문의 부가의문문은 긍정문과 부정문 모두 will you?를 써요.
- Let's 제안문의 부가의문문은 긍정문과 부정문 모두 shall we?를 써요.

명령문은 상대방(you)
에게 말하는 거니까
부가의문문의
주어 자리에 you를 써.

부가의문문	의미
명령문, will you ?	~해라 / ~하지 마라, 알았지?
제안문, shall we ?	~하자 / ~하지 말자, 그럴래?

Close the door, **will you**? 문을 닫아라, 알았지?

Don't use this computer, **will you**? 이 컴퓨터를 사용하지 마라, 알았지?

Let's take a walk, **shall we**? 산책하자, 그럴래?

Let's not go swimming, **shall we**? 수영하러 가지 말자, 그럴래?

Let's는 Let us의
줄임말이기 때문에
부가의문문의 주어로 we를 써.

정답과 해설 23쪽

A 다음 주어진 말 중에서 알맞은 부가의문문을 고르세요.

1 Brush your teeth, (will you) don't you ?

2 Chickens can't fly, do they can they ?

3 Let's not talk loudly here, are we shall we ?

4 He won't buy that car, will he won't he ?

5 Don't close the window, do you will you ?

6 She will come to school, won't she doesn't she ?

★ brush one's teeth
  양치를 하다

★ chicken 닭

★ loudly 시끄럽게

★ Korean 한국어

★ classroom 교실

★ wake up 깨우다

★ morning 아침

> 조동사가 쓰인 문장의
> 부가의문문은 같은 조동사를
> 사용해서 만들고,
> 명령문은 will you,
> 제안문은 shall we를 써서
> 부가의문문을 만들어.

B 다음 빈칸에 알맞은 말을 <보기>에서 골라 기호를 쓰세요.

보기
ⓐ can he   ⓑ can't they   ⓒ will they
ⓓ will you   ⓔ shall we   ⓕ won't she

1 She will go to London next week, ___ⓕ___ ?

2 They can speak Korean, _____ ?

3 Let's clean the classroom, _____ ?

4 They won't take a taxi, _____ ?

5 He can't eat fish, _____ ?

6 Don't wake me up in the morning, _____ ?

Unit 8

다음 우리말과 뜻이 같도록 빈칸에 알맞은 부가의문문을 쓰세요.

1 너는 카레를 만들 거야, 그렇지 않니?

➡ You will make curry, [won't you] ?

2 그는 플루트를 연주할 수 있어, 그렇지 않니?

➡ He can play the flute, [   ] ?

3 우리 낚시하러 가자, 그럴래?

➡ Let's go fishing, [   ] ?

4 3분 동안 물을 끓여라, 알았지?

➡ Boil the water for three minutes, [   ] ?

5 그들은 그 동아리에 가입할거야, 그렇지 않니?

➡ They will join the club, [   ] ?

6 너는 오늘 밤에 내게 전화할 수 없어, 그렇지?

➡ You can't call me tonight, [   ] ?

7 그녀는 이번 주말에 하이킹을 가지 않을 거야, 그렇지?

➡ She won't go hiking this weekend, [   ] ?

8 우리 사진을 찍지 말자, 그럴래?

➡ Let's not take pictures, [   ] ?

9 박물관에서 달리지 마라, 알았지?

➡ Don't run in the museum, [   ] ?

10 너는 Jake보다 더 높이 뛸 수 없어, 그렇지?

➡ You can't jump higher than Jake, [   ] ?

★ curry 카레
★ flute 플루트
★ go fishing
  낚시하러 가다
★ boil (물을) 끓이다
★ join 가입하다
★ tonight 오늘 밤
★ go hiking
  하이킹을 가다
★ take pictures
  사진을 찍다
★ museum 박물관

STEP 2

정답과 해설 23쪽

다음 밑줄 친 부분을 바르게 고쳐 문장을 다시 쓰세요.

1 They will come to the party, <u>don't they</u>?

➡ They will come to the party, won't they?

2 Wash your hair, <u>shall we</u>?

➡

3 Let's not drive too fast, <u>do we</u>?

➡

4 You can solve that problem, <u>don't you</u>?

➡

5 Don't cut the paper, <u>do you</u>?

➡

6 They can eat spicy food, <u>can they</u>?

➡

7 She won't buy a new car, <u>isn't she</u>?

➡

8 Let's eat some cake for dessert, <u>will you</u>?

➡

9 You won't be late for dinner, <u>do you</u>?

➡

10 Jerry and Paul can't go home early, <u>can he</u>?

➡

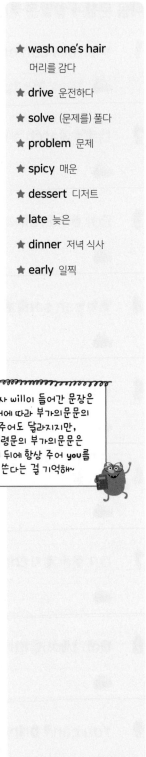

★ wash one's hair
머리를 감다

★ drive 운전하다

★ solve (문제를) 풀다

★ problem 문제

★ spicy 매운

★ dessert 디저트

★ late 늦은

★ dinner 저녁 식사

★ early 일찍

조동사 will이 들어간 문장은
주어에 따라 부가의문문의
주어도 달라지지만,
명령문의 부가의문문은
will 뒤에 항상 주어 you를
쓴다는 걸 기억해~

Unit
8

다음 문장에 알맞은 부가의문문을 덧붙여 문장을 다시 쓰세요.

1 Visitors can enter the cave.

➡ Visitors can enter the cave, can't they?

2 Let's watch a movie after school.

➡

3 Put on a raincoat.

➡

4 We can see penguins at the zoo.

➡

5 They won't go to the library.

➡

6 Your sister can ride a skateboard.

➡

7 Let's not sit on that bench.

➡

8 Don't touch the paintings.

➡

9 You can't bring your dog to the beach.

➡

10 Your son will exercise every day.

➡

★ visitor 방문객
★ enter 들어가다
★ cave 동굴
★ put on ~을 입다
★ raincoat 우비
★ penguin 펭귄
★ library 도서관
★ ride 타다
★ touch 만지다
★ painting 그림
★ bring 데려오다
★ beach 해변
★ exercise 운동하다

앞 문장과
부가의문문 사이에는
항상 콤마(,)를 써야 해.

정답과 해설 24쪽

다음 우리말과 뜻이 같도록 주어진 단어를 사용하여 문장을 쓰세요.

1 거짓말을 하지 마라, 알았지? **tell** **a lie**

➡ Don't[Do not] tell a lie, will you?

2 그들은 버스를 탈거야, 그렇지 않니? **take** **the bus**

➡

3 너는 프랑스어를 할 수 있어, 그렇지 않니? **speak** **French**

➡

4 Anna를 위한 선물을 좀 사자, 그럴래? **buy** **some presents**

➡

5 물을 많이 마셔라, 알았지? **drink** **a lot of water**

➡

6 그는 체스를 할 수 있어, 그렇지 않니? **play** **chess**

➡

7 너의 친구들은 오지 않을 거야, 그렇지? **friends** **come**

➡

8 히터를 끄지 말자, 그럴래? **turn off** **the heater**

➡

9 네 여동생은 자전거를 못 타, 그렇지? **ride** **a bike**

➡

10 너는 저녁 식사를 만들지 않을 거야, 그렇지? **make** **dinner**

➡

★ **tell a lie**
   거짓말을 하다
★ **French** 프랑스어
★ **present** 선물
★ **chess** 체스
★ **come** 오다
★ **turn off** ~을 끄다
★ **heater** 히터
★ **ride a bike**
   자전거를 타다
★ **dinner** 저녁 식사

> 명령문과 제안문의
> 부가의문문은 부정이나 긍정에
> 상관없이 같은 부가의문문을
> 쓴다는 것을 잊지마.

Unit
8

실전 테스트

[1~2] 다음 빈칸에 들어갈 말로 알맞은 것을 고르세요.

1

Your daughter likes chocolate very much, _____?

① isn't he ② doesn't it
③ isn't she ④ doesn't she
⑤ does she

★ daughter 딸

2

Let's take a walk in the park, _____?

① will you ② don't you
③ do you ④ shall we
⑤ do we

★ take a walk 산책하다
★ park 공원

[3~4] 다음 빈칸에 공통으로 알맞은 것을 고르세요.

3

• You won't go back to your country, _____ you?
• Open the door for me, _____ you?

① do ② is
③ will ④ won't
⑤ don't

★ go back 돌아가다
★ country 나라

4

• We can use the washing machine, can't _____?
• Let's go on a picnic, shall _____?

① we ② you
③ they ④ us
⑤ it

★ washing machine
세탁기
★ go on a picnic
소풍 가다

[5~6] 다음 빈칸에 들어갈 말을 바르게 짝지은 것을 고르세요.

5

> • Don't sit on the grass, _____ you?
> • You can play tennis, _____ you?

① do — can
② don't — can't
③ will — can't
④ won't — can't
⑤ will — can

★ sit 앉다
★ grass 잔디
★ play tennis
테니스를 치다

6

> • Let's go swimming this Saturday, _____ we?
> • Tyler joined the club, _____ he?

① shall — did
② shall — didn't
③ won't — didn't
④ won't — did
⑤ will — didn't

★ go swimming
수영하러 가다
★ join 가입하다

[7~8] 다음 밑줄 친 부분이 잘못 쓰인 것을 고르세요.

7
① You will be there, <u>won't you</u>?
② Don't forget the number, <u>won't you</u>?
③ Let's go to the department store, <u>shall we</u>?
④ You brushed your teeth after lunch, <u>didn't you</u>?
⑤ They visited Mr. Smith last weekend, <u>didn't they</u>?

★ forget 잊다
★ department store
백화점
★ brush one's teeth
양치를 하다

Unit
8

8
① Turn off the computer, <u>will you</u>?
② Don't be late for class, <u>will you</u>?
③ Ashley went shopping, <u>didn't she</u>?
④ You can speak Chinese, <u>can't you</u>?
⑤ Jane is your English teacher, <u>doesn't she</u>?

★ turn off ~을 끄다
★ go shopping
쇼핑하러 가다
★ Chinese 중국어

[9~12] 다음 우리말과 뜻이 같도록 빈칸에 알맞은 말을 쓰세요.

9

그는 너보다 나이가 많아, 그렇지 않니?

➡ He is older than you,

[ ] [ ] ?

★ than ~보다

10

너는 그 검은 구두를 사지 않았어, 그렇지?

➡ You didn't buy the black

shoes, [ ] [ ] ?

★ buy 사다

11

휴식을 취하자, 그럴래?

➡ Let's take a break,

[ ] [ ] ?

★ take a break
휴식을 취하다

12

그들이 그 호텔에 머물 거야, 그렇지 않니?

➡ They will stay in the hotel,

[ ] [ ] ?

★ stay 머물다

쓰면서 강해지는

초등
영문법 4

WORKBOOK

다음 단어의 뜻을 확인하고, 세 번씩 따라 써보세요.

1 drop 떨어뜨리다	drop 떨어뜨리다		
2 empty 비어 있는			
3 hug 껴안다			
4 vase 꽃병			
5 badminton 배드민턴			
6 soldier 군인			
7 fence 울타리, 담			
8 dry 말리다			
9 kitchen 부엌			
10 playground 놀이터			

☁️ **다음 단어의 뜻을 확인하고, 세 번씩 따라 써보세요.**

11 hit 치다, 때리다	hit 치다, 때리다		
12 enjoy 즐기다			
13 drawer 서랍			
14 lawyer 변호사			
15 worry 걱정하다			
16 put 두다, 놓다			
17 wedding 결혼식			
18 field 경기장, 들판			
19 reporter 기자			
20 interesting 흥미로운			

🌈 **다음 우리말 뜻에 맞는 영어 단어를 쓰세요.**

1 떨어뜨리다

2 비어 있는

3 껴안다

4 꽃병

5 배드민턴

6 군인

7 울타리, 담

8 말리다

9 부엌

10 놀이터

🌈 **다음 영어 단어의 우리말 뜻을 쓰세요.**

11 hit

12 enjoy

13 drawer

14 lawyer

15 worry

16 put

17 wedding

18 field

19 reporter

20 interesting

✎ 정답과 해설 25쪽

🌈 다음 영어 문장의 우리말 뜻을 쓰세요.

1 It was cold yesterday.

➡ 어제는 추웠다. _____

2 He hugged his baby.

➡ _____

3 We stayed in a small hotel.

➡ _____

4 Jeremy was a reporter.

➡ _____

5 They were tennis players.

➡ _____

6 My mother worried about me.

➡ _____

7 Jessica read the book last year.

➡ _____

8 The musical ticket was expensive.

➡ _____

9 I dried my hair with a hair dryer.

➡ _____

10 The children were in the playground.

➡ _____

☺ 공부한 날짜: _____ 월 _____ 일 　　☺ 내가 맞춘 문제: _____ 개 / 10

✎ 정답과 해설 25쪽

🌈 다음 우리말과 뜻이 같도록 주어진 단어를 사용하여 영어로 문장을 쓰세요.
(필요하면 단어의 형태를 바꾸세요.)

1 그 반지들은 그녀의 것이었다. the rings

➡ The rings were hers.

2 우리는 부엌에 있었다. in the kitchen

➡ _____

3 나의 삼촌은 변호사였다. uncle　a lawyer

➡ _____

4 그들은 그 결혼식을 즐겼다. enjoy　the wedding

➡ _____

5 그 의자들은 무거웠다. the chairs　heavy

➡ _____

6 나의 남동생은 설거지를 했다. wash　the dishes

➡ _____

7 그 이야기는 흥미로웠다. the story　interesting

➡ _____

8 Mina는 Junsu에게 이메일을 보냈다. send　an email　to Junsu

➡ _____

9 그는 야구 방망이로 공을 쳤다. hit　the ball　with a bat

➡ _____

10 나는 그녀를 위해 깜짝 파티를 계획했다. plan　a surprise party　for her

➡ _____

😊 공부한 날짜: _____ 월 _____ 일   😊 내가 맞춘 문제: _____ 개 / 10

✎ 정답과 해설 **25쪽**

🌈 **다음 우리말과 뜻이 같도록 영어로 문장을 쓰세요.**

1 Elsa는 이 사진들을 찍었다.

➡ Elsa took these pictures.

2 그녀는 나의 선생님이었다.

➡ _____

3 저 상자들은 비어 있었다.

➡ _____

4 Justin은 그의 열쇠를 떨어뜨렸다.

➡ _____

5 나의 부모님은 내 방안에 있었다.

➡ _____

6 Sam은 이 당근들을 잘랐다.

➡ _____

7 Harry와 Liam은 군인이었다.

➡ _____

8 너의 강아지는 귀여웠다.

➡ _____

9 우리는 어제 배드민턴을 했다.

➡ _____

10 Emma는 그녀의 책을 내 가방 안에 넣었다.

➡ _____

다음 단어의 뜻을 확인하고, 세 번씩 따라 써보세요.

1 gym 체육관	gym 체육관		
2 beef 소고기			
3 poor 가난한			
4 skirt 치마			
5 famous 유명한			
6 ticket 표, 입장권			
7 order 주문하다			
8 newspaper 신문			
9 train 기차			
10 classmate 반 친구			

다음 단어의 뜻을 확인하고, 세 번씩 따라 써보세요.

11 alone 혼자인	alone 혼자인		
12 news 소식			
13 break 깨다			
14 nurse 간호사			
15 thirsty 목마른			
16 garden 정원			
17 story 이야기			
18 morning 아침			
19 vegetable 채소			
20 dangerous 위험한			

🖊 정답과 해설 26쪽

🌈 다음 우리말 뜻에 맞는 영어 단어를 쓰세요.

1 체육관

2 소고기

3 가난한

4 치마

5 유명한

6 표, 입장권

7 주문하다

8 신문

9 기차

10 반 친구

🌈 다음 영어 단어의 우리말 뜻을 쓰세요.

11 alone

12 news

13 break

14 nurse

15 thirsty

16 garden

17 story

18 morning

19 vegetable

20 dangerous

😊 공부한 날짜: _____ 월 _____ 일   😊 내가 맞춘 문제: _____ 개 / 10

✎ 정답과 해설 26쪽

🌈 다음 영어 문장의 우리말 뜻을 쓰세요.

1 Were they in the garden?

➡ 그들은 정원에 있었니?

2 Did Cindy buy a blue skirt?

➡ _____

3 It didn't rain in the morning.

➡ _____

4 The tickets weren't expensive.

➡ _____

5 Where was Andy yesterday?

➡ _____

6 Sally didn't take the subway.

➡ _____

7 Did you go to the gym this morning?

➡ _____

8 The road wasn't dangerous.

➡ _____

9 Was there a post office in the town?

➡ _____

10 They didn't play soccer last week.

➡ _____

✎ 정답과 해설 26쪽

🌈 **다음 우리말과 뜻이 같도록 주어진 단어를 사용하여 영어로 문장을 쓰세요.**

1 Molly는 사진가였니? a photographer

➡ Was Molly a photographer?

2 그 양말은 나의 것이 아니었다. the socks

➡ _____

3 그는 부산에 살았니? live   in Busan

➡ _____

4 우리는 그 소식을 듣지 못했다. hear   the news

➡ _____

5 너는 여행 후에 피곤했니? tired   after the trip

➡ _____

6 너는 그 기차를 탔니? take   the train

➡ _____

7 그 시험은 쉽지 않았다. the test   easy

➡ _____

8 벽에 그림이 있었니? a picture   on the wall

➡ _____

9 Toby는 신문을 읽었니? read   the newspaper

➡ _____

10 그들은 박물관을 방문하지 않았다. visit   the museum

➡ _____

✎ 정답과 해설 **26쪽**

🌈 **다음 우리말과 뜻이 같도록 영어로 문장을 쓰세요. (부정문은 줄임형으로 쓰세요.)**

1 네가 이 이야기를 썼니?

➡ Did you write this story?

2 나는 가난하지 않았다.

➡ _____

3 Elliot은 간호사였니?

➡ _____

4 나는 청바지를 입지 않았다.

➡ _____

5 그들은 유명했니?

➡ _____

6 나의 고양이들은 목마르지 않았다.

➡ _____

7 그녀가 내 창문을 깼니?

➡ _____

8 너는 그의 반 친구였니?

➡ _____

9 Scott은 내 펜을 쓰지 않았다.

➡ _____

10 우리는 소고기를 주문하지 않았다.

➡ _____

☁ 다음 단어의 뜻을 확인하고, 세 번씩 따라 써보세요.

1 fix 고치다	fix 고치다		
2 die 죽다			
3 grass 잔디			
4 blouse 블라우스			
5 noise 소음			
6 tie 묶다			
7 loudly 크게			
8 kite 연			
9 hide 숨기다			
10 ride 타다			

🌈 **다음 단어의 뜻을 확인하고, 세 번씩 따라 써보세요.**

11 cello 첼로	cello 첼로		
12 bench 벤치, 긴 의자			
13 lie 눕다			
14 follow 따르다			
15 nap 낮잠			
16 outside 밖에(서)			
17 feed 먹이를 주다			
18 mirror 거울			
19 paint 페인트칠하다			
20 practice 연습하다			

😊 공부한 날짜: _____ 월 _____ 일   😊 내가 맞춘 문제: _____ 개 / 20

✎ 정답과 해설 27쪽

🌈 다음 우리말 뜻에 맞는 영어 단어를 쓰세요.

1 고치다

2 죽다

3 잔디

4 블라우스

5 소음

6 묶다

7 크게

8 연

9 숨기다

10 타다

🌈 다음 영어 단어의 우리말 뜻을 쓰세요.

11 cello

12 bench

13 lie

14 follow

15 nap

16 outside

17 feed

18 mirror

19 paint

20 practice

✎ 정답과 해설 **27쪽**

🌈 **다음 영어 문장의 우리말 뜻을 쓰세요.**

1 We were taking a walk.

➡ 우리는 산책을 하고 있었다. _____

2 What was he drinking?

➡ _____

3 She was lying on the grass.

➡ _____

4 Were you writing a card?

➡ _____

5 His baby was crying loudly.

➡ _____

6 He wasn't sitting on the bench.

➡ _____

7 You were wearing a blouse.

➡ _____

8 I was not looking in the mirror.

➡ _____

9 Was he cleaning his room?

➡ _____

10 They were not dancing on the stage.

➡ _____

✎ 정답과 해설 27쪽

🌈 다음 우리말과 뜻이 같도록 주어진 단어를 사용하여 영어로 문장을 쓰세요.
(필요하면 단어의 형태를 바꾸고, 부정문은 줄임형으로 쓰세요.)

1 그는 낮잠을 자고 있었니? take a nap

➡ Was he taking a nap?

2 우리는 시끄럽게 하고 있지 않았다. make a noise

➡ _____

3 Mary는 케이크를 굽고 있었다. bake a cake

➡ _____

4 Eddy와 나는 저녁을 먹고 있었다. have dinner

➡ _____

5 그녀는 자전거를 타고 있지 않았다. ride a bike

➡ _____

6 Tony는 고기를 자르고 있었다. cut meat

➡ _____

7 너는 연을 날리고 있었니? fly a kite

➡ _____

8 우리는 수영장에서 수영을 하고 있었다. swim in the pool

➡ _____

9 Sandy는 벽을 페인트칠하고 있지 않았다. paint the wall

➡ _____

10 그들은 테니스를 치고 있었니? play tennis

➡ _____

🌈 **다음 우리말과 뜻이 같도록 영어로 문장을 쓰세요. (부정문은 줄임형으로 쓰세요.)**

1 우리는 달리고 있지 않았다.

➡ We weren't running.

2 너는 너의 고양이에게 먹이를 주고 있었니?

➡ _____

3 밖에는 비가 내리고 있지 않았다.

➡ _____

4 그들은 야구를 하고 있었다.

➡ _____

5 너희들은 무엇을 숨기고 있었니?

➡ _____

6 Jamie는 첼로를 연습하고 있었다.

➡ _____

7 그는 나의 책상 위에 앉아 있었다.

➡ _____

8 그녀는 신발을 신고 있었니?

➡ _____

9 Tony는 그의 컴퓨터를 고치고 있지 않았다.

➡ _____

10 나는 나의 머리를 묶고 있었다.

➡ _____

🌈 다음 단어의 뜻을 확인하고, 세 번씩 따라 써보세요.

1 soon 곧	soon 곧		
2 climb 오르다			
3 join 가입하다			
4 result 결과			
5 warm 따뜻한			
6 tonight 오늘 밤			
7 borrow 빌리다			
8 picnic 소풍			
9 mountain 산			
10 postcard 엽서			

🌥 **다음 단어의 뜻을 확인하고, 세 번씩 따라 써보세요.**

11 castle 성	castle 성	
12 later 나중에		
13 arrive 도착하다		
14 free 한가한, 무료의		
15 plant (식물을) 심다		
16 gift 선물		
17 return 반납하다		
18 invite 초대하다		
19 weekend 주말		
20 pumpkin 호박		

🌈 다음 우리말 뜻에 맞는 영어 단어를 쓰세요.

1 곧

2 오르다

3 가입하다

4 결과

5 따뜻한

6 오늘 밤

7 빌리다

8 소풍

9 산

10 엽서

🌈 다음 영어 단어의 우리말 뜻을 쓰세요.

11 castle

12 later

13 arrive

14 free

15 plant

16 gift

17 return

18 invite

19 weekend

20 pumpkin

😊 공부한 날짜: _____ 월 _____ 일   😊 내가 맞춘 문제: _____ 개 / 10

✏️ 정답과 해설 28쪽

🌈 다음 영어 문장의 우리말 뜻을 쓰세요.

1 It won't rain tonight.

➡️ 오늘 밤에 비가 오지 않을 것이다.

2 What time will she meet him?

➡️ _____

3 Are you going to wash the car?

➡️ _____

4 They will know the result soon.

➡️ _____

5 Are they going to visit the museum?

➡️ _____

6 Jessica will write a postcard to him.

➡️ _____

7 He is going to return the books.

➡️ _____

8 I'm not going to buy the umbrella.

➡️ _____

9 Will you go on a picnic this weekend?

➡️ _____

10 My parents are going to arrive tomorrow.

➡️ _____

😊 공부한 날짜: _____ 월 _____ 일   😊 내가 맞춘 문제: _____ 개 / 10

✏️ 정답과 해설 28쪽

🌥️ **다음 우리말과 뜻이 같도록 be going to를 사용하여 문장을 쓰세요.**
(줄임형으로 쓰지 마세요.)

1 나는 나중에 너에게 전화를 할 것이다. call you later

➡️ I am going to call you later.

2 그는 Tom을 초대하지 않을 것이다. invite Tom

➡️ _____

3 너는 그 산을 오를거니? climb the mountain

➡️ _____

4 우리는 밖에서 놀지 않을 것이다. play outside

➡️ _____

5 Mark는 일기를 쓸 것이다. keep a diary

➡️ _____

6 너는 언제 그의 선물을 살 거니? buy his gift

➡️ _____

7 그들은 내일 스키타러 갈 거니? go skiing tomorrow

➡️ _____

8 나는 택시를 타지 않을 것이다. take a taxi

➡️ _____

9 우리는 그 성을 방문할 것이다. visit the castle

➡️ _____

10 Amy는 콘서트에 갈 거니? go to the concert

➡️ _____

🖊 정답과 해설 28쪽

🌈 **다음 우리말과 뜻이 같도록 will을 사용하여 문장을 쓰세요. (부정문은 줄임형으로 쓰세요.)**

1 너는 내일 Julia를 만날 거니?

➡ Will you meet Julia tomorrow?

2 Kevin은 한가하지 않을 것이다.

➡ _____

3 우리는 중국어를 배울 것이다.

➡ _____

4 이번 주말은 따뜻할 것이다.

➡ _____

5 너는 누구를 초대할 거니?

➡ _____

6 그들은 점심을 먹지 않을 것이다.

➡ _____

7 오늘 밤에 눈이 내릴 것이다.

➡ _____

8 너는 이 책을 빌릴 거니?

➡ _____

9 나는 저 꽃들을 심지 않을 것이다.

➡ _____

10 Danny는 저 호박을 사지 않을 것이다.

➡ _____

다음 단어의 뜻을 확인하고, 세 번씩 따라 써보세요.

1 lucky 운이 좋은	lucky 운이 좋은		
2 finger 손가락			
3 history 역사			
4 building 건물			
5 student 학생			
6 pillow 베개			
7 world 세상			
8 delicious 맛있는			
9 popular 인기 있는			
10 wonderful 멋진			

🌈 다음 단어의 뜻을 확인하고, 세 번씩 따라 써보세요.

11 soft 부드러운	soft 부드러운		
12 month 달, 월			
13 family 가족			
14 useful 유용한			
15 helpful 도움이 되는			
16 subject 과목			
17 city 도시			
18 company 회사			
19 exciting 신나는			
20 important 중요한			

🌈 다음 우리말 뜻에 맞는 영어 단어를 쓰세요.

1 운이 좋은 _____   **6** 베개 _____

2 손가락 _____   **7** 세상 _____

3 역사 _____   **8** 맛있는 _____

4 건물 _____   **9** 인기 있는 _____

5 학생 _____   **10** 멋진 _____

🌈 다음 영어 단어의 우리말 뜻을 쓰세요.

11 soft _____   **16** subject _____

12 month _____   **17** city _____

13 family _____   **18** company _____

14 useful _____   **19** exciting _____

15 helpful _____   **20** important _____

🌈 **다음 영어 문장의 우리말 뜻을 쓰세요.**

1 Pencils are more useful than pens.

➡ 연필이 펜보다 더 유용하다.

2 It is the tallest building in Korea.

➡ _____

3 Your earrings are prettier than mine.

➡ _____

4 Snails move more slowly than ants.

➡ _____

5 Sam is the worst player on the team.

➡ _____

6 Watermelons are bigger than oranges.

➡ _____

7 History is the most interesting subject for me.

➡ _____

8 January is the coldest month of the year.

➡ _____

9 The black bag is cheaper than the red bag.

➡ _____

10 New York is the most exciting city in the world.

➡ _____

😊 공부한 날짜: _____ 월 _____ 일   😊 내가 맞춘 문제: _____ 개 / 10

✎ 정답과 해설 29쪽

🌈 **다음 우리말과 뜻이 같도록 주어진 단어를 사용하여 영어로 문장을 쓰세요.**
(필요하면 단어의 형태를 바꾸세요.)

1 너의 방은 그녀의 것보다 더 크다. room large

➡ Your room is larger than hers.

2 Seoul은 한국에서 가장 바쁜 도시이다. busy city in Korea

➡ _____

3 차들은 자전거들보다 더 비싸다. cars expensive bicycles

➡ _____

4 너의 가방은 셋 중에서 가장 무겁다. bag heavy of the three

➡ _____

5 태양이 지구보다 더 크다. the sun big the earth

➡ _____

6 과학은 수학보다 더 어렵다. science difficult math

➡ _____

7 그는 세상에서 최고의 가수이다. good singer in the world

➡ _____

8 오늘은 어제보다 더 덥다. today hot yesterday

➡ _____

9 그것은 프랑스에서 가장 유명한 회사이다. famous company in France

➡ _____

10 그 책은 세상에서 가장 오래되었다. the book old in the world

➡ _____

😊 공부한 날짜: _____ 월 _____ 일   😊 내가 맞춘 문제: _____ 개 / 10

✎ 정답과 해설 **29**쪽

🌈 **다음 우리말과 뜻이 같도록 영어로 문장을 쓰세요.**

1 부산은 한국에서 가장 멋진 도시다.

➡ Busan is the most wonderful city in Korea.

2 그의 컴퓨터는 나의 것보다 더 나쁘다.

➡ _____

3 나의 아들은 우리 가족 중에서 가장 키가 크다.

➡ _____

4 Ted는 Alex보다 더 바쁘다.

➡ _____

5 이 베개는 셋 중에서 가장 부드럽다.

➡ _____

6 David는 너보다 더 운이 좋다.

➡ _____

7 그는 캐나다에서 최고의 축구 선수이다.

➡ _____

8 이 손가락이 저 손가락보다 더 길다.

➡ _____

9 시간이 돈보다 더 중요하다.

➡ _____

10 Emily는 그녀의 반에서 가장 인기 있는 학생이다.

➡ _____

🌈 다음 단어의 뜻을 확인하고, 세 번씩 따라 써보세요.

1	**full** 배부른	full 배부른		
2	**hurt** 다치다			
3	**game** 경기, 시합			
4	**noisy** 시끄러운			
5	**thin** 마른			
6	**healthy** 건강한			
7	**fall** 넘어지다			
8	**medicine** 약			
9	**lose** 잃어버리다			
10	**difficult** 어려운			

다음 단어의 뜻을 확인하고, 세 번씩 따라 써보세요.

11 fail (시험에) 떨어지다	fail (시험에) 떨어지다		
12 cloudy 흐린			
13 light 가벼운			
14 scary 무서운			
15 Spanish 스페인어			
16 solve 풀다			
17 cancel 취소하다			
18 unhappy 불행한			
19 sleepy 졸린			
20 exercise 운동하다			

✎ 정답과 해설 30쪽

🌈 다음 우리말 뜻에 맞는 영어 단어를 쓰세요.

1	배부른		6	건강한	
2	다치다		7	넘어지다	
3	경기, 시합		8	약	
4	시끄러운		9	잃어버리다	
5	마른		10	어려운	

🌈 다음 영어 단어의 우리말 뜻을 쓰세요.

11	fail		16	solve	
12	cloudy		17	cancel	
13	light		18	unhappy	
14	scary		19	sleepy	
15	Spanish		20	exercise	

✎ 정답과 해설 30쪽

🌈 다음 영어 문장의 우리말 뜻을 쓰세요.

1 You are thin but strong.

➡ 너는 말랐지만 힘이 세다.

2 It was raining, so they didn't play soccer.

➡ _____

3 I can't sleep because it is noisy outside.

➡ _____

4 Brian will take a walk or ride a bike.

➡ _____

5 We canceled the game because it was cloudy.

➡ _____

6 She bought a pen, a pencil, and a ruler.

➡ _____

7 Jenny is very kind, so I like her.

➡ _____

8 I go to the park on Fridays or Sundays.

➡ _____

9 She was crying because she failed the test.

➡ _____

10 He went to the park and I went to the beach.

➡ _____

😊 공부한 날짜: _____ 월 _____ 일   😊 내가 맞춘 문제: _____ 개 / 10

✏️ 정답과 해설 30쪽

🌈 다음 우리말과 뜻이 같도록 주어진 단어를 사용하여 영어로 문장을 쓰세요.

1 너는 버스 또는 택시를 탈 수 있다. take   a bus   a taxi

➡ You can take a bus or a taxi.

2 그의 누나는 예쁘고 똑똑하다. sister   pretty   smart

➡ _____

3 그 퍼즐은 어렵지만 나는 그것을 풀 수 있다. the puzzle   difficult   solve it

➡ _____

4 나는 두통이 있었기 때문에 약을 먹었다. took the medicine   had a headache

➡ _____

5 내 가방을 잃어버려서 나는 슬펐다. lost my bag   sad

➡ _____

6 그 영화는 지루했지만 감동적이었다. the movie   boring   touching

➡ _____

7 더웠기 때문에 그녀는 히터를 껐다. turned off the heater   hot

➡ _____

8 눈이 내려서 나는 눈사람을 만들었다. snowed   made a snowman

➡ _____

9 Eva는 점심으로 샐러드와 우유를 먹는다. eats a salad   milk   for lunch

➡ _____

10 Mike는 늦게 일어났기 때문에 버스를 놓쳤다. missed the bus   got up late

➡ _____

🌈 **다음 우리말과 뜻이 같도록 영어로 문장을 쓰세요.**

1 우리는 부자였지만 불행했다.

➡ We were rich but unhappy.

2 나는 졸렸기 때문에 커피를 마셨다.

➡ _____

3 나는 어제 넘어져서 나의 한 쪽 손을 다쳤다.

➡ _____

4 Eddy는 영어, 스페인어, 중국어를 말할 수 있다.

➡ _____

5 내 가방은 무겁지만 그의 가방은 가볍다.

➡ _____

6 그는 아팠기 때문에 그의 파티를 취소했다.

➡ _____

7 그들은 방과 후에 축구 또는 농구를 한다.

➡ _____

8 Tony는 매일 운동을 해서 건강하다.

➡ _____

9 나는 배가 불렀기 때문에 저녁을 먹지 않았다.

➡ _____

10 Sam은 코트를 하나 샀고 나는 셔츠를 하나 샀다.

➡ _____

다음 단어의 뜻을 확인하고, 세 번씩 따라 써보세요.

1 lazy 게으른	lazy 게으른		
2 friendly 친절한			
3 question 문제			
4 throw 던지다			
5 easily 쉽게			
6 polite 예의바른			
7 slowly 느리게			
8 foolish 어리석은			
9 wise 현명한			
10 beautifully 아름답게			

🌈 **다음 단어의 뜻을 확인하고, 세 번씩 따라 써보세요.**

11 place 장소	place 장소		
12 colorful 다채로운			
13 puppy 강아지			
14 amazing 놀라운			
15 lovely 사랑스러운			
16 sour 시큼한, 신			
17 fluently 유창하게			
18 quickly 빠르게			
19 happily 행복하게			
20 writer 작가			

⊙ 공부한 날짜: _____ 월 _____ 일　　　　⊙ 내가 맞춘 문제: _____ 개 / 20

✎ 정답과 해설 31쪽

🌈 다음 우리말 뜻에 맞는 영어 단어를 쓰세요.

1 게으른 _____

2 친절한 _____

3 문제 _____

4 던지다 _____

5 쉽게 _____

6 예의바른 _____

7 느리게 _____

8 어리석은 _____

9 현명한 _____

10 아름답게 _____

🌈 다음 영어 단어의 우리말 뜻을 쓰세요.

11 place _____

12 colorful _____

13 puppy _____

14 amazing _____

15 lovely _____

16 sour _____

17 fluently _____

18 quickly _____

19 happily _____

20 writer _____

✎ 정답과 해설 31쪽

🌈 **다음 영어 문장의 우리말 뜻을 쓰세요.**

1 How friendly you are!

➡ 너는 정말 친절하구나! _____

2 What a famous writer he is!

➡ _____

3 What warm gloves these are!

➡ _____

4 How beautifully they dance!

➡ _____

5 What a long bridge it is!

➡ _____

6 How difficult the question is!

➡ _____

7 What brave soldiers they are!

➡ _____

8 How fast the train runs!

➡ _____

9 How polite the students are!

➡ _____

10 What a wonderful place it is!

➡ _____

☺ 공부한 날짜: _____ 월 _____ 일   ☺ 내가 맞춘 문제: _____ 개 / 10

✎ 정답과 해설 31쪽

🌈 다음 우리말과 뜻이 같도록 주어진 단어를 사용하여 영어로 문장을 쓰세요.

1 그녀는 정말 긴 머리카락을 가졌구나! long hair has

➡ What long hair she has!

2 이 수프는 정말 짜구나! salty soup

➡ _____

3 그것은 정말 흥미진진한 게임이구나! exciting game

➡ _____

4 하늘이 정말 아름답구나! beautiful the sky

➡ _____

5 저것들은 정말 멋진 선글라스구나! nice sunglasses

➡ _____

6 너는 영어를 정말 유창하게 하는구나! fluently speak English

➡ _____

7 이것은 정말 편안한 소파구나! comfortable sofa

➡ _____

8 이 베개들은 정말 부드럽구나! soft pillows

➡ _____

9 이것들은 정말 멋진 그림이구나! wonderful paintings

➡ _____

10 그 달팽이는 정말 느리게 움직이는구나! slowly the snail moves

➡ _____

🌈 **다음 우리말과 뜻이 같도록 영어로 문장을 쓰세요.**

1 그것은 정말 다채로운 스카프구나!

➡ What a colorful scarf it is!

2 너는 정말 높이 뛰는구나!

➡ _____

3 그들은 정말 사랑스러운 아기구나!

➡ _____

4 너의 부모님은 정말 현명하시구나!

➡ _____

5 그것은 정말 놀라운 이야기구나!

➡ _____

6 이 레몬은 정말 시구나!

➡ _____

7 너는 정말 어리석구나!

➡ _____

8 그것들은 정말 귀여운 강아지들이구나!

➡ _____

9 저 비행기는 정말 빨리 나는구나!

➡ _____

10 그는 정말 게으른 소년이구나!

➡ _____

🌈 다음 단어의 뜻을 확인하고, 세 번씩 따라 써보세요.

1 far 먼	far 먼		
2 pass 통과하다			
3 picture 사진			
4 library 도서관			
5 problem 문제			
6 tired 피곤한			
7 show 보여주다			
8 theater 극장			
9 expensive 비싼			
10 classroom 교실			

🌈 **다음 단어의 뜻을 확인하고, 세 번씩 따라 써보세요.**

11 forget 잊다	forget 잊다		
12 painting 그림			
13 boil (물을) 끓이다			
14 visitor 방문객			
15 bring 데려오다, 가져오다			
16 dessert 디저트			
17 present 선물			
18 museum 박물관			
19 penguin 펭귄			
20 finish 끝내다			

☺ 공부한 날짜: _____ 월 _____ 일   ☺ 내가 맞춘 문제: _____ 개 / 20

✎ 정답과 해설 32쪽

🌈 다음 우리말 뜻에 맞는 영어 단어를 쓰세요.

1 먼

2 통과하다

3 사진

4 도서관

5 문제

6 피곤한

7 보여주다

8 극장

9 비싼

10 교실

🌈 다음 영어 단어의 우리말 뜻을 쓰세요.

11 forget

12 painting

13 boil

14 visitor

15 bring

16 dessert

17 present

18 museum

19 penguin

20 finish

✎ 정답과 해설 **32쪽**

🌈 **다음 영어 문장의 우리말 뜻을 쓰세요.**

1 Exercise every day, will you?

➡ 매일 운동을 해라, 알았지?

2 Steve doesn't swim well, does he?

➡ _____

3 He was very tired, wasn't he?

➡ _____

4 Let's clean the classroom, shall we?

➡ _____

5 The museum isn't far from here, is it?

➡ _____

6 Don't take pictures here, will you?

➡ _____

7 Amy can't solve the problem, can she?

➡ _____

8 Let's not take the subway, shall we?

➡ _____

9 You will go camping tomorrow, won't you?

➡ _____

10 Jane boiled the water, didn't she?

➡ _____

✎ 정답과 해설 32쪽

🌈 다음 우리말과 뜻이 같도록 주어진 단어를 사용하여 영어로 문장을 쓰세요.
(부정문은 줄임형으로 쓰세요.)

1 오늘밤에 나에게 전화해라, 알았지?　call me tonight

➡ Call me tonight, will you?

2 자전거를 타지 말자, 그럴래?　ride a bike

➡ _____

3 그는 여동생이 있어, 그렇지 않니?　has a sister

➡ _____

4 너는 스페인어를 할 수 있어, 그렇지 않니?　speak Spanish

➡ _____

5 너는 극장에 가지 않을 거야, 그렇지?　go to the theater

➡ _____

6 내 이름을 잊지 마라, 알았지?　forget my name

➡ _____

7 디저트로 케이크를 먹자, 그럴래?　eat cake for dessert

➡ _____

8 그들은 도서관에 있어, 그렇지 않니?　in the library

➡ _____

9 그녀는 그 시험에 통과하지 못했어, 그렇지?　pass the test

➡ _____

10 그 선물은 비싸지 않아, 그렇지?　the present　expensive

➡ _____

😊 공부한 날짜: _____ 월 _____ 일 😊 내가 맞춘 문제: _____ 개 / 10

✎ 정답과 해설 **32쪽**

🌈 **다음 우리말과 뜻이 같도록 영어로 문장을 쓰세요. (부정문은 줄임형으로 쓰세요.)**

1 이 카메라는 너의 것이야, 그렇지 않니?

➡ This camera is yours, isn't it?

2 그는 수영을 할 수 없어, 그렇지?

➡ _____

3 네 방을 청소해라, 알았지?

➡ _____

4 우리의 숙제를 끝내자, 그럴래?

➡ _____

5 Lucy는 그녀의 방에 있지 않았어, 그렇지?

➡ _____

6 너의 아들이 저 컵을 깼어, 그렇지 않니?

➡ _____

7 너의 개를 데려오지 마라, 알았지?

➡ _____

8 너는 펭귄들을 좋아하지 않아, 그렇지?

➡ _____

9 그녀는 이 그림을 살 거야, 그렇지 않니?

➡ _____

10 저녁을 먹지 말자, 그럴래?

➡ _____

MEMO

중학 영어
독해 + 내신

흥미로운 영어 책으로 독해 공부 제대로 하자!

READING
적중! 영어독해

110 ~ 130 words	120 ~ 140 words	130 ~ 150 words
대상: 초등 고학년, 중1	대상: 중1, 중2	대상: 중2, 중3

적중! 영어독해 특징

- 다양하고 재미있는 소재의 지문
- 다양한 어휘 테스트(사진, 뜻 찾기, 문장 완성하기, 영영풀이)
- 풍부한 독해 문제(다양한 유형, 영어 지시문, 서술형, 내신형)
- 전 지문 구문 분석 제공
- 꼭 필요한 학습 부가 자료(QR코드, MP3파일, WORKBOOK)

새 교과서에 맞춘 최신 개정판

중학영문법 3300제

문법 개념 정리	+	내신 대비 문제
출제 빈도가 높은 문법 내용을 표로 간결하게 정리		연습 문제+영작 연습+학교 시험 대비 문제+워크북

1. 최신 개정 교과서 연계표 (중학 영어 교과서의 문법을 분석)

2. 서술형 대비 강화 (최신 출제 경향에 따라 서술형 문제 강화)

3. 문법 인덱스 (책에 수록된 문법 사항을 abc, 가나다 순서로 정리)

쓰면서 강해지는

초등 영문법 ❹

[정답과 해설]

Unit 1 과거형

Lesson 1 be동사의 과거형

개념확인 ✎ 9쪽

A
1 was	2 were
3 were	4 was
5 was	6 were
7 was	

해석 1 나의 엄마는 작가였다. 2 그 방들은 더러웠다. 3 그들은 거실에 있었다. 4 그 영화는 정말 지루했다. 5 나는 지난 주에 베트남에 있었다. 6 나의 오빠들은 매우 재미있었다. 7 홍 선생님은 나의 영어 선생님이셨다.

B
1 ~이었다	2 ~에 있었다
3 ~이 (어떠)했다	4 ~이 (어떠)했다
5 ~이었다	6 ~이 (어떠)했다
7 ~에 있었다	

해석 1 나의 형은 소방관이었다. 2 우리는 차 안에 있었다. 3 Jenny와 Louis는 피곤했다. 4 그 저녁 식사는 맛있었다. 5 저 소년들은 나의 학생들이었다. 6 그 책은 정말 흥미로웠다. 7 그 학생들은 도서관에 있었다.

STEP 1 ✎ 10쪽

1 were 2 was 3 were 4 was 5 was
6 were 7 was 8 was 9 were 10 were

STEP 2 ✎ 11쪽

1 I was really hungry yesterday. 2 She was 9 years old in 2019. 3 We were good friends then. 4 Nicole was at home last night. 5 The apples were fresh last week. 6 My aunt was a doctor in 2015. 7 The boxes were empty yesterday. 8 The leaves were green last week. 9 Dylan's hair was short last year. 10 His children were in Singapore two years ago.

해석 1 나는 어제 정말로 배가 고팠다. 2 그녀는 2019년에 9살이었다. 3 우리는 그때 좋은 친구였다. 4 Nicole은 어젯밤에 집에 있었다. 5 그 사과들은 지난주에 신선했다. 6 나의 이모는 2015년에 의사였다. 7 그 상자들은 어제 비어 있었다. 8 그 나뭇잎들은 지난주에 초록색이었다. 9 Dylan의 머리는 작년에 짧았다. 10 그의 자녀들은 2년 전에 싱가포르에 있었다.

STEP 3 ✎ 12쪽

1 They were at the theater then. 2 Edward was at the hospital last Monday. 3 The backpacks were expensive last month. 4 She was my math teacher three years ago. 5 It was cloudy yesterday. 6 My father was a police officer in 2015. 7 The actors were in Sydney last week. 8 Your room was really clean yesterday. 9 We were at the party last night. 10 Alicia was eleven years old last year.

해석 1 그들은 극장에 있다. → 그들은 그때 극장에 있었다. 2 Edward는 병원에 있다. → Edward는 지난 월요일에 병원에 있었다. 3 그 배낭들은 비싸다. → 그 배낭들은 지난달에 비쌌다. 4 그녀는 나의 수학 선생님이다. → 그녀는 3년 전에 나의 수학 선생님이었다. 5 날씨가 흐리다. → 어제는 날씨가 흐렸다. 6 나의 아버지는 경찰관이다. → 나의 아버지는 2015년에 경찰관이었다. 7 그 배우들은 시드니에 있다. → 그 배우들은 지난주에 시드니에 있었다. 8 너의 방은 정말로 깨끗하다. → 너의 방은 어제 정말로 깨끗했다. 9 우리는 파티에 있다. → 우리는 어젯밤에 파티에 있었다. 10 Alicia는 11살이다. → Alicia는 작년에 11살이었다.

STEP 4 ✎ 13쪽

1 We were in the zoo yesterday. 2 She was a soldier in 2017. 3 His shoes were very dirty. 4 The singer was popular.

5 Lei and I were late for class yesterday.   6 My uncles were dentists.   7 Your ring was in the drawer.   8 My hair was long last year.   9 They were soccer players in 2020.   10 Taylor was in Busan last week.

Lesson 2 일반동사의 과거형

개념확인
✎ 15쪽

Ⓐ

help	helped	make	made
hit	hit	stay	stayed
plan	planned	feel	felt
clean	cleaned	read	read
come	came	stop	stopped
see	saw	carry	carried

Ⓑ

1 ran
2 drank
3 put
4 enjoyed
5 dropped
6 studied
7 played

해석   1 나는 교실로 뛰어 들어갔다.   2 Jayden은 어젯밤에 커피를 마셨다.   3 그는 열쇠들을 서랍 안에 두었다.   4 우리는 정말 그 쇼를 즐겼다.   5 나의 아들은 그 접시들을 떨어뜨렸다.   6 그들은 어제 과학을 공부했다.   7 David와 Andy는 함께 체스를 뒀다.

STEP 1
✎ 16쪽

1 spoke   2 taught   3 washed   4 worked
5 wrote   6 went   7 played   8 carried
9 broke   10 finished

STEP 2
✎ 17쪽

1 He put a few books on the desk.   2 I bought a new laptop.   3 Jiyeon slept well last night.   4 We planned a camping trip.   5 Janet took a taxi to the airport.   6 They enjoyed the wedding.   7 Justin read the magazine.   8 He hit the ball over the fence.   9 Jordan gave a book to me.   10 She met her old friends last week.

해석   1 그는 책 몇 권을 책상 위에 두었다.   2 나는 새로운 노트북 컴퓨터를 하나 샀다.   3 지연이는 어젯밤에 잘 잤다.   4 우리는 캠핑 여행을 계획했다.   5 Janet은 공항까지 택시를 탔다.   6 그들은 결혼식을 즐겼다.   7 Justin은 그 잡지를 읽었다.   8 그는 울타리 너머로 공을 쳤다.   9 Jordan은 나에게 책 한 권을 주었다.   10 그녀는 지난주에 오랜 친구들을 만났다.

STEP 3
✎ 18쪽

1 We heard the news from our teacher.   2 His sister became a lawyer.   3 They wore yellow shirts.   4 His family left for Paris.   5 My parents worried about me.   6 The police officer stopped the car.   7 She cut the pizza into eight pieces.   8 Carlos and Julia washed the dishes.   9 James rode his bicycle in the park.   10 Natalie waited for her friend at the bus stop.

해석   1 우리는 선생님으로부터 그 소식을 듣는다. → 우리는 선생님으로부터 그 소식을 들었다.   2 그의 누나는 변호사가 된다. → 그의 누나는 변호사가 되었다.   3 그들은 노란색 셔츠를 입는다. → 그들은 노란색 셔츠를 입었다.   4 그의 가족은 파리로 떠난다. → 그의 가족은 파리로 떠났다.   5 나의 부모님은 나에 대해 걱정하신다. → 나의 부모님은 나에 대해 걱정하셨다.   6 경찰관이 그 차를 멈춰 세운다. → 경찰관이 그 차를 멈춰 세웠다.   7 그녀는 피자를 여덟 조각으로 자른다. → 그녀는 피자를 여덟 조각으로 잘랐다.   8 Carlos와 Julia는 설거지를 한다. → Carlos와 Julia는 설거지를 했다.   9 James는 공원에서 자전거를 탄다. → James는 공원에서 자전거를 탔다.   10 Natalie는 버스 정류장에서 그녀의 친구를 기다린다. → Natalie는 버스 정류장에서 그녀의 친구를 기다렸다.

1 He sold many sweaters.   **2** Andrea hugged her baby.   **3** We knew the answer.   **4** Lisa drew the picture.   **5** It rained this morning.   **6** I had his camera.   **7** Henry read the novel.   **8** Kyle and Diego walked to the beach.   **9** I liked the red skirt.   **10** She drove the truck.

실전 테스트 ✏ 20~22쪽

1 ④	**2** ③	**3** ④	**4** ④	**5** ③	**6** ⑤
7 ⑤	**8** ①	**9** carried		**10** read	
11 was		**12** made			

1 play는 「모음 + y」로 끝나는 동사이므로 과거형은 -ed를 붙여 played로 쓴다. 「자음 + y」로 끝나는 단어만 y를 i로 바꾸고 -ed를 붙인다.

2 go는 불규칙변화 동사로 과거형이 went이다.

3 tomorrow는 '내일'이라는 뜻으로 미래를 나타내므로 동사의 과거형(met)과 같이 쓸 수 없다.
• 나는 2019년에 / 어제 / 지난 주에 / 어젯밤에 부산에서 James를 만났다.

4 첫 번째 빈칸에는 My daughters가 복수명사이고 과거를 나타내는 표현 last year(작년)가 쓰였으므로 were가 알맞다. 두 번째 빈칸에는 문장 끝에 then(그때)이 쓰였으므로 stop의 과거형인 stopped가 알맞다. stop처럼 「단모음 + 단자음」으로 끝나는 1음절 동사는 자음을 한 번 더 쓰고 ed를 붙인다.
• 내 딸들은 작년에 파리에 있었다.
• 그들은 그때 빨간불에 멈췄다.

5 last year(작년)가 있으므로 동사는 과거형이 와야 하고, 1인칭 단수 주어 I의 be동사 과거형은 was이다.
• 나는 작년에 열세 살이었다.

6 last weekend(지난 주말)가 있으므로 동사는 과거형이 와야 하고, ride의 과거형은 rode이다.
• 우리는 지난 주말에 공원에서 자전거를 탔다.

7 children은 복수명사이므로 be동사의 과거형은 were를 써야 한다.
① 나는 행복했다.
② 너는 운이 좋았다.
③ 그들은 매우 바빴다.
④ 그 여자는 바이올리니스트였다.
⑤ 그 아이들은 놀이터에 있었다.

8 next week는 '다음 주'라는 뜻으로 미래를 나타내기 때문에 과거형의 동사와 같이 쓸 수 없다.
② 우리는 함께 영화를 봤다.
③ 나의 오빠는 지난 월요일에 Alicia를 만났다.
④ 그들은 선생님 말씀을 주의 깊게 들었다.
⑤ 그 아이들은 어제 경기장에서 축구를 했다.

9 동사 carry는 「자음 + y」로 끝나는 단어이므로 과거형은 y를 i로 바꾸고 -ed를 붙여서 carried로 쓴다.

10 read는 현재형과 과거형의 형태가 같으므로 주어 He 뒤에 과거형 read를 쓴다.

11 과거를 나타내는 표현 last week(지난주)가 쓰였으므로 날씨를 나타내는 비인칭 주어 It 뒤에 be동사의 과거형 was를 써야 한다.

12 동사 make는 불규칙변화 동사로 과거형이 made이다.

Unit **2** 과거형의 부정문과 의문문

Lesson 1 be동사 과거형의 부정문과 의문문

개념 확인 ✏ 25쪽

1 was not	**2** wasn't
3 were not	**4** weren't
5 wasn't	**6** was not

해석 1 나는 슬프지 않았다.　2 월요일에는 화창하지 않았다.　3 Mason과 Emily는 간호사가 아니었다.　4 그들은 지난 주에 집에 있지 않았다.　5 Johnson씨는 의사가 아니었다.　6 그녀는 작년에 뉴욕에 있지 않았다.

B　1 Were　2 Was　3 wasn't　4 weren't　5 was　6 I was

해석 1 A: 너는 그날 피곤했니? B: 응, 그랬어.　2 A: 어젯밤에 추웠니? B: 아니, 그렇지 않았어.　3 A: James는 너와 같은 반 친구였니? B: 아니, 그렇지 않았어.　4 A: 너와 네 여동생은 아팠니? B: 아니, 그렇지 않았어.　5 A: Judy는 어제 여기에 있었니? B: 응, 그랬어.　6 A: 너는 지난 달에 병원에 있었니? B: 응, 그랬어.

STEP 1　🖉 26쪽

1 was not[wasn't]　2 was not[wasn't]　3 were not[weren't]　4 Was　5 was not[wasn't]　6 Were　7 was　8 were not[weren't]　9 Was　10 Were

STEP 2　🖉 27쪽

1 Was it hot last summer?　2 Mr. Lee was not[wasn't] my dentist.　3 When was your birthday?　4 They were not[weren't] in the living room.　5 My eraser was not[wasn't] in the pencil case.　6 Was my wallet on the table?　7 The pants were not[weren't] expensive.　8 Were you late for school yesterday?　9 Her sons were not[weren't] high school students.　10 Was Benjamin a famous photographer?

해석 1 작년 여름은 더웠니?　2 이 선생님은 나의 치과 의사가 아니었다.　3 너의 생일은 언제였니?　4 그들은 거실에 없었다.　5 내 지우개는 필통 안에 없었다.　6 내 지갑이 탁자 위에 있

STEP 3　🖉 28쪽

1 Lucas was not a pilot.　2 Were the vegetables fresh?　3 His brothers were not lazy.　4 Was the story interesting?　5 The test was not easy.　6 Was my dog in the yard?　7 The students were not in the classroom.　8 Were you at the restaurant yesterday?　9 The soccer game was not exciting.　10 Were Michael and Peter lawyers then?

해석 1 Lucas는 비행기 조종사였다. → Lucas는 비행기 조종사가 아니었다.　2 그 채소들은 신선했다. → 그 채소들은 신선했니?　3 그의 형들은 게을렀다. → 그의 형들은 게으르지 않았다.　4 그 이야기는 흥미로웠다. → 그 이야기는 흥미로웠니?　5 그 시험은 쉬웠다. → 그 시험은 쉽지 않았다.　6 나의 개는 마당에 있었다. → 나의 개는 마당에 있었니?　7 그 학생들은 교실에 있었다. → 그 학생들은 교실에 있지 않았다.　8 너는 어제 그 식당에 있었다. → 너는 어제 그 식당에 있었니?　9 그 축구 경기는 흥미진진했다. → 그 축구 경기는 흥미진진하지 않았다.　10 Michael과 Peter는 그때 변호사였다. → Michael과 Peter는 그때 변호사였니?

STEP 4　🖉 29쪽

1 Was the beef fresh?　2 The movie was not[wasn't] sad.　3 The glasses were not[weren't] mine.　4 Was the soup hot?　5 He was not[wasn't] at home last night.　6 Were the ducks in the pond?　7 The tickets were not[weren't] free.　8 Where were your parents?　9 The cats were not[weren't] dangerous.　10 Was your uncle a pianist?

개념확인
🖉 31쪽

A
1 did not
2 didn't
3 didn't
4 didn't
5 did not
6 didn't

> 해석
> 1 우리는 그 꽃병을 사지 않았다. 2 Carrie는 저녁을 먹지 않았다. 3 너는 2017년에 서울에 살지 않았다. 4 그들은 그 창문들을 깨지 않았다. 5 그녀는 자신의 전화번호를 적지 않았다. 6 재원이는 지난 주에 캠핑을 가지 않았다.

B
1 Did
2 did
3 Did
4 didn't
5 Did
6 did

> 해석
> 1 A: 너는 점심을 먹었니? B: 응, 그랬어. 2 A: Brian은 설거지를 했니? B: 응, 그랬어. 3 A: 그들은 어제 축구를 했니? B: 아니, 그러지 않았어. 4 A: 그는 그 재킷을 샀니? B: 아니, 그러지 않았어. 5 A: 그녀는 작년에 한국을 방문했니? B: 응, 그랬어. 6 A: 너는 Sam을 언제 만났니? B: 나는 그를 오늘 아침에 만났어.

STEP 1
🖉 32쪽

1 did not[didn't] buy 2 Did Matt find
3 Did you use 4 did not[didn't] go
5 Did he read 6 Did Ellis wash 7 did not[didn't] take 8 did not[didn't] wear
9 Did they meet 10 did not[didn't] build

STEP 2
🖉 33쪽

1 Did Emily cook the spaghetti? 2 Ms. Jones did not[didn't] teach us last year.
3 Did you write the letter? 4 They did not[didn't] carry the box yesterday. 5 Did he solve the math problem? 6 Danny did not[didn't] draw the picture. 7 When did she hear the news? 8 Jamie didn't bring her textbooks. 9 Did they enjoy the party last night? 10 The train didn't stop at the next station.

> 해석
> 1 Emily가 스파게티를 요리했니? 2 Jones 선생님은 작년에 우리에게 영어를 가르치시지 않았다. 3 네가 그 편지를 썼니? 4 그들은 어제 그 상자를 운반하지 않았다. 5 그가 그 수학 문제를 풀었니? 6 Danny는 그 그림을 그리지 않았다. 7 그녀는 언제 그 소식을 들었니? 8 Jamie는 그녀의 교과서를 가져오지 않았다. 9 그들은 어젯밤에 파티를 즐겼니? 10 그 기차는 다음 역에 서지 않았다.

STEP 3
🖉 34쪽

1 I didn't buy a new computer. 2 Did they ride a roller coaster? 3 The cats didn't eat the cheese. 4 Julie didn't go to the bank. 5 When did you wash your car? 6 Did he take a bus to the market?
7 She didn't wear a blue sweater. 8 Did your sister read the newspaper? 9 They didn't play basketball at night. 10 Did Clara eat yogurt in the morning?

> 해석
> 1 나는 새 컴퓨터를 사지 않는다. → 나는 새 컴퓨터를 사지 않았다. 2 그들은 롤러코스터를 타니? → 그들은 롤러코스터를 탔니? 3 그 고양이들은 치즈를 먹지 않는다. → 그 고양이들은 치즈를 먹지 않았다. 4 Julie는 은행에 가지 않는다. → Julie는 은행에 가지 않았다. 5 너는 언제 세차를 하니? → 너는 언제 세차를 했니? 6 그는 시장까지 버스를 타고 가니? → 그는 시장까지 버스를 타고 갔니? 7 그녀는 파란 스웨터를 입지 않는다. → 그녀는 파란 스웨터를 입지 않았다. 8 너의 언니는 신문을 읽니? → 너의 언니는 신문을 읽었니? 9 그들은 밤에 농구를 하지 않는다. → 그들은 밤에 농구를 하지 않았다. 10 Clara는 아침에 요거트를 먹니? → Clara는 아침에 요거트를 먹었니?

STEP 4
🖉 35쪽

1 Did they play baseball yesterday?
2 Did Mike find his puppy? 3 He did not[didn't] lie to me. 4 Did Alicia sleep on the sofa? 5 She did not[didn't] live in Africa. 6 Did you hear the news? 7 We

did not[didn't] order apple juice.   **8** Did you and your brother get up early?   **9** Nick and Betty did not[didn't] lose their money.   **10** I did not[didn't] go to school last week.

실전 테스트

✎ 36~38쪽

1 ③   **2** ⑤   **3** ③   **4** ④   **5** ④   **6** ④

7 ②   **8** ④   **9** Were you tired

10 did not[didn't] teach

11 was not[wasn't] a chef

12 Did you go fishing

1 three hours ago(세 시간 전)라는 표현이 있으므로 과거형으로 써야 한다. 빈칸 뒤에 '동사원형'이 없으므로 빈칸에는 be동사가 와야 하고, 주어 They에 알맞은 be동사 과거형은 were 또는 부정형 weren't이다.
- 그들은 세 시간 전에 공원에 있지 않았다.

2 last year(작년)라는 표현이 있으므로 과거형으로 써야 하고, 주어 you 뒤에 '동사원형'이 없으므로 빈칸에는 be동사가 와야 한다. 주어 you에 알맞은 be동사 과거형은 Were이다.
- 너는 작년에 건강했니?

3 last month(지난달)라는 표현이 있으므로 과거형으로 써야 한다. 일반동사 과거형의 부정문은 「did + not + 동사원형」으로 써야 하므로 빈칸에는 didn't send가 알맞다.
- 그는 지난달에 그 편지를 보내지 않았다.

4 yesterday(어제)라는 표현이 있으므로 과거형으로 써야 하고, 주어 you 뒤에 make라는 동사원형이 있으므로 빈칸에는 조동사 did가 알맞다. 의문사가 있는 일반동사 과거형의 의문문은 「의문사 + did + 주어 + 동사원형 ~?」의 순서로 쓴다.
- 너는 어제 저녁 식사로 무엇을 만들었니?

5 첫 번째 빈칸에는 뒤에 동사원형이 없으므로 be동사가 와야 하고, last Friday(지난 금요일)라는 표현이 있으므로 과거형을 써야 한다. 주어가 3인칭 단수(Anna)이므로 was 또는 wasn't가 알맞다. 두 번째 빈칸에는 뒤에

do라는 동사원형이 있으므로 조동사 do로 부정형을 만들어야 하고, yesterday(어제)라는 표현이 있으므로 과거형 didn't가 알맞다.
- Anna는 지난 금요일에 뉴욕에 있지 않았다.
- 나는 어제 숙제를 하지 않았다.

6 yesterday(어제), last Saturday(지난 토요일)라는 표현이 있으므로 과거형이 알맞다. 두 문장 모두 빈칸 뒤에 동사원형이 있으므로 조동사 did(Did)를 사용해서 부정문과 의문문을 만든다.
- 지나는 어제 저 치마를 사지 않았다.
- 그들은 지난 토요일에 박물관에 갔니?

7 ②번은 과거를 나타내는 표현(in 2016)이 있으므로 과거형으로 써야 한다. 따라서 Were you a soldier in 2016?이라고 써야 한다.
① 나는 전혀 슬프지 않았다.
② 너는 2016년에 군인이었니?
③ 그는 그것에 대해서 생각해 보지 않았다.
④ 너는 저 셔츠를 샀니?
⑤ 너는 놀이공원에 어떻게 갔니?

8 ④번은 last night(어젯밤)이라는 표현이 있으므로 과거형으로 써야 한다. 따라서 What did you wear last night?이라고 써야 한다.
① 그녀는 목마르지 않았다.
② 그 영화는 지루했니?
③ Jessica는 저 가방을 원했니?
④ 너는 어젯밤에 무엇을 입었니?
⑤ 우리는 방과 후에 축구를 하지 않았다.

9 yesterday(어제)라는 표현이 있으므로 과거형으로 써야 한다. be동사 과거형의 의문문은 「Was/Were + 주어 + ~?」 순서로 쓰고, 주어(you)가 2인칭이므로 Were가 알맞다.

10 last year(작년)라는 표현이 있으므로 과거형으로 써야 한다. 일반동사 과거형의 부정문은 「주어 + did not[didn't] + 동사원형」 순서로 쓴다.

11 two years ago(2년 전)라는 표현이 있으므로 과거형으로 써야 한다. be동사 과거형의 부정문은 「주어 + was/were + not」 순서로 쓰고, 주어(Tony)가 3인칭 단수이므로 was not[wasn't]가 알맞다.

12 last weekend(지난 주말)라는 표현이 있으므로 과거형으로 써야 한다. 일반동사 과거형의 의문문은 「Did + 주어 + 동사원형 ~?」의 순서로 쓴다.

Unit 3 과거진행형

개념 확인
✎ 41쪽

A
1 was	2 were
3 was	4 were
5 was	6 were
7 was	

해석 1 그녀는 운전하고 있었다. 2 우리는 산책을 하고 있었다. 3 Sofia는 편지를 쓰고 있었다. 4 그들은 하키를 하고 있었다. 5 그의 딸은 혼자 울고 있었다. 6 나의 부모님은 함께 노래하고 있었다. 7 Matthew는 숙제를 하고 있었다.

B
1 watching	2 wearing
3 having	4 listening
5 making	6 lying
7 swimming	

해석 1 우리는 TV를 보고 있었다. 2 나는 빨간 모자를 쓰고 있었다. 3 그들은 저녁을 먹고 있었다. 4 David는 라디오를 듣고 있었다. 5 그녀는 피자를 조금 만들고 있었다. 6 나의 아버지는 침대 위에 누워계셨다. 7 몇 명의 소년들이 강에서 수영을 하고 있었다.

STEP 1
✎ 42쪽

1 was cleaning 2 were jogging 3 was crying 4 were singing 5 was riding 6 were planning 7 were washing 8 was smiling 9 was practicing 10 were studying

STEP 2
✎ 43쪽

1 She was waiting for her boyfriend. 2 I was making her birthday cake. 3 We were playing table tennis. 4 They were dancing on the street. 5 Yunha was tying her shoelaces. 6 My cat was sleeping under the chair. 7 The children were drinking water. 8 Frank and Fiona were swimming in the lake. 9 Alice was taking a shower then. 10 My friend and I were lying on the grass.

1 그녀는 남자친구를 기다리고 있었다. 2 나는 그녀의 생일 케이크를 만들고 있었다. 3 우리는 탁구를 하고 있었다. 4 그들은 길에서 춤을 추고 있었다. 5 윤하는 그녀의 신발 끈을 묶고 있었다. 6 나의 고양이는 의자 아래에서 자고 있었다. 7 그 아이들은 물을 마시고 있었다. 8 Frank와 Fiona는 호수에서 수영하고 있었다. 9 Alice는 그때 샤워를 하고 있었다. 10 내 친구와 나는 잔디 위에 누워 있었다.

STEP 3
✎ 44쪽

1 I was helping my mom. 2 Oliver was using my computer. 3 His plants were dying. 4 The lady was wearing a blue blouse. 5 We were swimming in the pool. 6 My dad was looking for his tool. 7 They were cutting down the trees. 8 Jiyoung was holding my hand. 9 Mike and Ben were running on the beach. 10 My parents were making dinner together.

해석 1 나는 나의 어머니를 도와드렸다. → 나는 나의 어머니를 도와드리고 있었다. 2 Oliver는 나의 컴퓨터를 사용했다. → Oliver는 나의 컴퓨터를 사용하고 있었다. 3 그의 식물들은 죽었다. → 그의 식물들은 죽어가고 있었다. 4 그 여성은 파랑색 블라우스를 입었다. → 그 여성은 파랑색 블라우스를 입고 있었다. 5 우리는 수영장에서 수영했다. → 우리는 수영장에서 수영하고 있었다. 6 나의 아빠는 그의 도구를 찾았다. → 나의 아빠는 그의 도구를 찾고 있었다. 7 그들은 그 나무들을 베었다. → 그들은 그 나무들을 베고 있었다. 8 지영이는 내 손을 잡았다. → 지영이는 내 손을 잡고 있었다. 9 Mike와 Ben은 해변에서 달렸다. → Mike와 Ben은 해변에서 달리고 있었다. 10 나의 부모님은 함께 저녁을 만드셨다. → 나의 부모님은 함께 저녁을 만들고 계셨다.

1 It was raining outside. 2 We were drinking coffee. 3 He was drawing a picture. 4 They were painting the wall. 5 Jenny was writing a birthday card. 6 We were playing the violin. 7 She was tying a ribbon. 8 Aiden was baking some bread. 9 You were fixing the car. 10 They were playing computer games.

Lesson 2 과거진행형의 부정문과 의문문

개념확인 ✏ 47쪽

Ⓐ
1 was not	2 were not
3 weren't	4 was not
5 wasn't	6 were not
7 wasn't	

해석 1 그는 사진을 찍고 있지 않았다. 2 너는 TV를 보고 있지 않았다. 3 그들은 그 규칙을 따르고 있지 않았다. 4 나의 이모는 피자를 만들고 있지 않았다. 5 Justin은 오리들에게 먹이를 주고 있지 않았다. 6 우리는 아침을 먹고 있지 않았다. 7 혜원이는 그녀의 방을 청소하고 있지 않았다.

Ⓑ
1 Was	2 Were
3 Was	4 Were
5 Were	6 was
7 were	

해석 1 Jake는 자전거를 고치고 있었니? 2 너는 책을 읽고 있었니? 3 그녀는 파티에서 춤을 추고 있었니? 4 그들은 도서관에 가고 있었니? 5 Tim과 Paul은 농구를 하고 있었니? 6 David는 무엇을 숨기고 있었니? 7 그 어린이들은 어디에서 놀고 있었니?

1 was not[wasn't] flying 2 Were you using 3 were not[weren't] doing 4 Was Carlos cutting 5 was not[wasn't] moving 6 Was he planting 7 were not[weren't] looking 8 were not[weren't] taking 9 were you eating 10 was Zoey crying

1 We were not[weren't] jumping on the bed. 2 Was he talking on the phone? 3 Were your dogs eating your cookies? 4 Judy was not[wasn't] making a waffle. 5 Where were you having lunch? 6 You were not[weren't] doing your homework. 7 Was Steve holding a large box? 8 When was Gary playing chess? 9 Jihwan was not[wasn't] climbing the mountain. 10 Was she studying with Grace yesterday?

해석 1 우리는 침대 위에서 뛰고 있지 않았다. 2 그는 전화 통화를 하고 있었니? 3 너의 개들이 너의 쿠키를 먹고 있었니? 4 Judy는 와플을 만들고 있지 않았다. 5 너는 어디에서 점심을 먹고 있었니? 6 너는 숙제를 하고 있지 않았다 7 Steve는 큰 상자를 하나 들고 있었니? 8 Gary는 언제 체스를 두고 있었니? 9 지환이는 산을 오르고 있지 않았다. 10 그녀는 어제 Grace와 공부하고 있었니?

1 Ken wasn't driving the truck. 2 Was Carrie cleaning the room? 3 It wasn't snowing last night. 4 Were you lying down on the beach? 5 Scott wasn't washing his hands. 6 They weren't sitting on the bench. 7 Was she watering the plants? 8 When was Robin

writing a letter?   **9** We weren't playing baseball yesterday.   **10** Were they playing a board game together?

해석 **1** Ken은 트럭을 운전하지 않았다. → Ken은 트럭을 운전하고 있지 않았다.   **2** Carrie는 방을 청소했니? → Carrie는 방을 청소하고 있었니?   **3** 지난밤에 눈이 내리지 않았다. → 지난밤에 눈이 내리고 있지 않았다.   **4** 너는 해변에 누웠니? → 너는 해변에 누워 있었니?   **5** Scott은 손을 씻지 않았다. → Scott은 손을 씻고 있지 않았다.   **6** 그들은 벤치 위에 앉지 않았다. → 그들은 벤치 위에 앉아 있지 않았다.   **7** 그녀는 식물들에 물을 주었니? → 그녀는 식물들에 물을 주고 있었니?   **8** Robin은 언제 편지를 썼니? → Robin은 언제 편지를 쓰고 있었니?   **9** 우리는 어제 야구를 하지 않았다. → 우리는 어제 야구를 하고 있지 않았다.   **10** 그들은 함께 보드 게임을 했니? → 그들은 함께 보드 게임을 하고 있었니?

STEP 4
✏ **51쪽**

1 We weren't feeding the birds.   **2** Was he wearing a white sweater?   **3** Sophie wasn't reading a magazine.   **4** Were you sleeping on the sofa?   **5** Adrian wasn't playing the flute.   **6** Where were you eating snacks?   **7** I wasn't talking with my friends.   **8** Was Jessica crossing the street?   **9** They weren't practicing Taekwondo.   **10** Were they skating on the ice?

실전 테스트
✏ **52~54쪽**

1 ②   **2** ④   **3** ④   **4** ⑤   **5** ④   **6** ④
7 ③   **8** ⑤   **9** was riding
10 were / wearing   **11** weren't listening
12 Was / lying

1 「단모음 + 단자음」으로 끝나는 1음절 동사는 자음을 한 번 더 쓰고 -ing를 붙이므로 cutting으로 써야 한다.

2 주어 뒤에 동사의 -ing 형태인 wearing이 쓰였으므로 빈칸에는 be동사가 와야 하고, yesterday가 있으므로 과거형으로 써야 한다. 주어(your sister)가 3인칭 단수이므로 Was가 알맞다.
• 네 여동생은 어제 치마를 입고 있었니?

3 빈칸 앞에 be동사(was)가 있으므로 -ing 형태와 함께 과거진행형의 문장이 되어야 한다. -e로 끝나는 단어는 e를 빼고 -ing를 붙인다.
• Leslie 씨는 노트북을 사용하고 있었다.

4 '~하고 있었다'는 내용이므로 과거진행형의 문장을 써야 한다. 주어(We)가 복수형이므로 「were + 동사원형 -ing」 형태로 쓴다.

5 두 문장 모두 동사의 -ing 형태가 쓰였으므로 진행형의 문장이 되어야 한다. 첫 번째 빈칸에는 주어가 he이므로 is나 was가 올 수 있고, 두 번째 빈칸에는 주어가 I이므로 am이나 was가 올 수 있다. 따라서 빈칸에 공통으로 알맞은 것은 was이다.
• 그는 무엇을 하고 있었니??
• 나는 쿠키를 조금 만들고 있었다.

6 주어 뒤에 -ing가 있으므로 진행형의 의문문이 되어야 한다. 따라서 ④번은 Were you having dinner with John?으로 써야 한다.
① 비가 심하게 내리고 있었니?
② 너는 그때 달리고 있었니?
③ Jenny는 에세이를 쓰고 있었다.
④ 너는 John과 함께 저녁을 먹고 있었니?
⑤ 우리는 컴퓨터 게임을 하고 있지 않았다.

7 주어(My mom)가 3인칭 단수이므로 be동사 was를 써서 과거진행형 문장을 만들어야 한다. 따라서 ③번은 My mom wasn't baking bread.로 써야 한다.
① 그는 샤워를 하고 있었니?
② 그녀는 과학을 공부하고 있었다.
③ 나의 엄마는 빵을 굽고 있지 않았다.
④ 그들은 영화를 보고 있었니?
⑤ Tom은 설거지를 하고 있지 않았다.

8 첫 번째 빈칸에는 주어 they 뒤에 taking이 있으므로 be동사(are / were)가 와야 하고, 두 번째 빈칸에는 앞에 be동사가 있으므로 -ing 형태가 와야 한다.
• 그들은 어디서 사진을 찍고 있었니?
• Scott은 샌드위치를 조금 만들고 있었다.

9 우리말이 '타고 있었다'이므로 과거진행형의 문장을 써야 한다. 주어(She)가 3인칭 단수이므로 be동사의 과거

형은 was를 쓰고, ride는 끝의 e를 빼고 -ing를 붙인다.

10 의문사가 있는 과거진행형의 의문문은 「의문사 + was / were + 주어 + -ing ~?」의 순서로 쓴다. 주어(they)가 복수이므로 be동사의 과거형은 were를 쓰고 주어 뒤에 wear의 -ing 형태인 wearing을 써야 한다.

11 과거진행형의 부정문은 「was / were + not + -ing」형 태로 쓴다. 주어(We)가 복수이므로 be동사의 과거형 은 were를 쓰고, 빈칸이 2개이므로 줄임형인 weren't listening으로 써야 한다.

12 과거진행형의 의문문은 「Was / Were + 주어 + -ing ~?」의 순서로 쓴다. 주어(Clara)가 3인칭 단수이므로 be동사의 과거형은 was를 쓰고, lie는 -ie를 y로 바꾸고 -ing를 붙인다.

Unit 4 미래형

Lesson 1 will

개념확인 ✎57쪽

Ⓐ
1 will meet 2 I'll leave
3 won't rain 4 won't buy
5 will not arrive 6 will be
7 will know

> **해석** 1 Robin은 나중에 그녀를 만날 것이다. 2 나는 이번 주 화요일에 떠날 것이다. 3 오늘 밤에 비가 내리지 않을 것이 다. 4 나는 저 셔츠를 사지 않을 것이다. 5 나의 아빠는 내일 도착하지 않으실 것이다. 6 그 농구 경기는 재미있을 것이다. 7 그는 곧 결과를 알게 될 것이다.

Ⓑ
1 ✕ 2 ✕
3 ○ 4 ○
5 ✕ 6 ✕
7 ○

> **해석** 1 Susan은 나의 파티에 올까? 2 Perry 선생님이 과학 을 가르치실 것이다. 3 우리는 오늘 밤에 텔레비전을 보지 않을

것이다. 4 너는 로스앤젤레스에 갈거니? 5 내일은 바람이 불 것이다. 6 그들은 점심으로 피자를 먹지 않을 것이다. 7 너는 언제 농장에 갈 거니?

STEP 1 ✎58쪽

1 will do 2 Will / learn 3 will not[won't] snow 4 will / take 5 will not[won't] like 6 Will / go 7 will love 8 Will / stay 9 will not[won't] call 10 will watch

STEP 2 ✎59쪽

1 I will[I'll] buy that bag. 2 James won't[will not] go fishing with his dad. 3 Mr. Shaw will meet you there. 4 It won't[will not] be warm next week. 5 Will your sister come with us? 6 The kids won't[will not] play in the park. 7 What will you do this weekend? 8 My brother will wear these sneakers. 9 When will you come back from London? 10 Noah and Ella won't[will not] exercise tomorrow.

> **해석** 1 나는 저 가방을 살 것이다. 2 James는 그의 아빠 와 낚시를 가지 않을 것이다. 3 Shaw 씨는 거기에서 너를 만 날 것이다. 4 다음 주는 따뜻하지 않을 것이다. 5 너의 여동 생은 우리와 함께 갈 거니? 6 그 아이들은 공원에서 놀지 않을 것이다. 7 너는 이번 주말에 무엇을 할 거니? 8 나의 오빠는 이 운동화를 신을 것이다. 9 너는 언제 런던에서 돌아올 거니? 10 Noah와 Ella는 내일 운동을 하지 않을 것이다.

STEP 3 ✎60쪽

1 Will he eat pumpkin soup? 2 She won't be free today. 3 Gabriel will make dinner. 4 Will your parents arrive soon? 5 Jackie won't feed the puppies. 6 Will

you send a postcard to Robin?   **7** We will invite Jane to the party.   **8** Will they go shopping tomorrow?   **9** My friends won't swim in the river.   **10** Will Harper take a piano lesson today?

해석 **1** 그는 호박 수프를 먹을 것이다. → 그는 호박 수프를 먹을 거니?   **2** 그녀는 오늘 한가할 것이다. → 그녀는 오늘 한가하지 않을 것이다.   **3** Gabriel은 저녁을 만들지 않을 것이다. → Gabriel은 저녁을 만들 것이다.   **4** 너희 부모님은 곧 도착하실 것이다. → 너희 부모님은 곧 도착하실 거니?   **5** Jackie는 강아지들에게 먹이를 줄 것이다. → Jackie는 강아지들에게 먹이를 주지 않을 것이다.   **6** 너는 Robin에게 엽서를 보낼 것이다. → 너는 Robin에게 엽서를 보낼 거니?   **7** 우리는 Jane을 파티에 초대하지 않을 것이다. → 우리는 Jane을 파티에 초대할 것이다.   **8** 그들은 내일 쇼핑을 갈 것이다. → 그들은 내일 쇼핑을 갈 거니?   **9** 내 친구들은 강에서 수영할 것이다. → 내 친구들은 강에서 수영하지 않을 것이다.   **10** Harper는 오늘 피아노 레슨을 받을 것이다. → Harper는 오늘 피아노 레슨을 받을 거니?

STEP 4
✎61쪽

1 We will[We'll] eat lunch.   **2** Will Eva help her parents?   **3** They will not[won't] climb the mountain.   **4** It will not[won't] be cold this winter.   **5** Who will drive the car?   **6** They will[They'll] travel to Canada.   **7** Will you take the class?   **8** Henry will not[won't] wash his car.   **9** How will you go to the museum?   **10** I will[I'll] borrow Pete's umbrella.

Lesson 2 be going to

개념 확인
✎63쪽

A **1** am   **2** are not
3 is   **4** aren't
5 isn't going   **6** is going

해석 **1** 나는 그 컵들을 씻을 것이다.   **2** 그들은 밖에서 놀지 않을 것이다.   **3** Daniel은 그녀와 결혼할 것이다.   **4** 우리는 그 성을 방문하지 않을 것이다.   **5** 오늘 밤엔 눈이 내리지 않을 것이다.   **6** 나의 형은 체육관에서 운동할 것이다.

- -

B **1** ⓐ   **2** ⓕ
3 ⓓ   **4** ⓒ
5 ⓑ   **6** ⓔ

해석 **1** 너는 그녀와 함께 노래를 부를 거니?   **2** 그녀는 Tom을 초대할 거니?   **3** 그들은 스키를 타러 갈거니?   **4** 너는 Ben을 언제 만날 거니?   **5** 그는 점심으로 무엇을 먹을 거니?   **6** 너희 아버지는 그 자동차를 고치실 거니?

STEP 1
✎64쪽

1 is going to keep   **2** am not going to play   **3** Is she going to leave   **4** are going to practice   **5** is not[isn't] going to jog   **6** Are you going to return   **7** is going to watch   **8** are not[aren't] going to join   **9** are you going to go   **10** are they going to study

STEP 2
✎65쪽

1 It is going to be very hot this summer.   **2** Is your dad going to sell his car?   **3** Cathy is not[isn't] going to make dinner.   **4** We are going to win this game.   **5** It is not[isn't] going to be warm this afternoon.   **6** Are you going to play the guitar?   **7** My friend is going to come to my house.   **8** Where are they going to have a party?   **9** My parents are not[aren't] going to wash the dog.   **10** What are you going to do this Sunday?

해석 **1** 이번 여름은 매우 더울 것이다.   **2** 너의 아빠는 그의 차를 파실 거니?   **3** Cathy는 저녁을 만들지 않을 것이다.   **4** 우리는 이 경기를 이길 것이다.   **5** 오늘 오후는 따뜻하지 않을 것이다.   **6** 너는 기타를 연주할 거니?   **7** 나의 친구는 나의 집에 올 것이다.   **8** 그들은 어디에서 파티를 할 거니?   **9** 나의 부모님은 그 개를 씻기지 않을 것이다.   **10** 너는 이번 주 일요일에 무엇을 할 거니?

STEP 3

1 We are going to build more schools.
2 She isn't going to be late for school.
3 Is Eric going to learn Chinese?   **4** I am going to say sorry to my mother.   **5** We aren't going to take a taxi.   **6** It is going to snow tomorrow.   **7** Are you going to buy the sweater?   **8** They aren't going to watch the musical.   **9** Where are you going to stay in Chicago?   **10** Jim is going to invite her to his birthday party.

해석   **1** 우리는 더 많은 학교를 지을 것이다.   **2** 그녀는 수업에 늦지 않을 것이다.   **3** Eric은 중국어를 배울 거니?   **4** 나는 엄마에게 죄송하다고 말할 것이다.   **5** 우리는 택시를 타지 않을 것이다.   **6** 내일은 눈이 내릴 것이다.   **7** 너는 그 스웨터를 살 거니?   **8** 그들은 그 뮤지컬을 보지 않을 것이다.   **9** 너는 시카고에서 어디에 머무를 거니?   **10** Jim은 그녀를 그의 생일 파티에 초대할 것이다.

STEP 4

1 What time is he going to arrive?   **2** They are not[aren't] going to play golf.   **3** I am going to set the alarm.   **4** Are you going to plant trees?   **5** They are going to bring their cameras.   **6** Bobby isn't going to travel to Europe.   **7** Are they going to build a new stadium?   **8** What are you going to do on Christmas?   **9** We aren't going to sleep in a tent.   **10** Kevin is going to meet Henry tomorrow.

실전 테스트

1 ②   **2** ④   **3** ③   **4** ④   **5** ⑤   **6** ④
7 ②   **8** ⑤   **9** Will / go
10 are going to eat   **11** won't be
12 Are / going to play

1 빈칸 뒤에 「going to 동사원형」이 왔으므로 빈칸에는 be동사가 와야 하고, 주어 It에 알맞은 be동사는 is이다.
• 태양을 봐!
• (날씨가) 더울 거야.

2 next weekend(다음 주말)라는 표현이 있으므로 빈칸에는 미래형이 와야 한다. 주어 뒤에 동사원형이 쓰였으므로 빈칸에는 will이 알맞다.
• 너는 다음 주말에 무엇을 할 거니?

3 질문이 be going to를 이용한 미래형이므로 대답도 미래형으로 해야 한다. 빈칸 뒤에 'to 동사원형'이 있으므로 빈칸에는 going이 알맞다.
• A: 너는 언제 숙제를 할 거니?
  B: 나는 내일 그것을 할 거야.

4 조동사 will을 이용한 질문에 대한 대답이고 No로 시작하는 부정의 대답이므로 빈칸에는 won't가 알맞다.
• A: 너는 이번 금요일에 부모님을 방문할 거니?
  B: 아니, 그러지 않을 거야.

5 '~할 것이다'라는 뜻은 「be going to 동사원형」으로 나타낼 수 있다. 주어가 복수(We)이므로 are going to가 알맞다.

6 질문에 「going to 동사원형」이 있으므로 첫 번째 빈칸에는 주어 Joe에 알맞은 be동사 Is를 써야 한다. be going to 의문문은 be동사로 대답하므로 두 번째 빈칸에는 is가 알맞다.
• A: Joe는 독서 동아리에 가입할 거니?
  B: 응, 그래.

7 will not의 줄임형은 won't이므로 ②번은 She won't buy that car.로 써야 한다.
① 그 영화는 재미있을 것이다.
② 그녀는 저 차를 사지 않을 것이다.
③ 내일 날씨가 흐릴 것이다.
④ 그는 수영하러 가지 않을 것이다.
⑤ 그들은 오늘 오후에 테니스를 칠 것이다.

8 조동사 will의 미래형 의문문은 「Will + 주어 + 동사원

정답과 해설

형 ~?」이므로 ⑤번은 Will James go on a picnic this weekend?로 써야 한다.

① 모든 것은 괜찮을 것이다.

② 우리는 동물원에 가지 않을 것이다.

③ 유미는 오늘 저녁에 이곳에 올 거니?

④ 너는 내일 세차를 할 거니?

⑤ James는 이번 주말에 소풍을 갈 거니?

9 '~할 것이다'라는 뜻은 will이나 be going to를 사용하여 나타낼 수 있지만 주어 뒤에 빈칸이 하나이므로 will을 써야 한다. 조동사 will의 의문문은 「Will + 주어 + 동사원형 ~?」 형태이므로 주어 you 뒤에 동사원형 go를 쓴다.

10 be going to를 사용하여 '~할 것이다'라는 미래의 뜻을 나타낼 수 있다. 주어(They)가 복수이므로 be동사 are를 쓰고 be going to 뒤에는 동사원형 eat를 쓴다.

11 '~하지 않을 것이다'라는 뜻의 부정문은 「will + not + 동사원형」으로 쓴다. 빈칸이 두 개이므로 will not의 줄임형 won't와 동사원형 be를 써야 한다.

12 미래의 표현은 will이나 be going to를 써서 나타낼 수 있지만, 빈칸이 4개이므로 be going to를 써야 한다. 주어(you)가 2인칭이므로 be동사 Are를 쓰고 be going to 뒤에는 동사원형 play를 쓴다.

Unit 5 비교

Lesson 1 비교급

개념확인

✎ 73쪽

A

big	bigger		short	shorter
young	younger		little	less
fast	faster		lazy	lazier
much	more		large	larger
slowly	more slowly		famous	more famous
difficult	more difficult		interesting	more interesting

B

1 more tired		**2** longer	
3 busier		**4** bigger	
5 taller		**6** worse	
7 funnier			

해석 **1** Jane은 너보다 더 피곤해 보인다. **2** 너의 드레스는 나의 드레스보다 더 길다. **3** 예원이는 Audrey 보다 더 바쁘다. **4** 나비는 개미보다 크다. **5** Steve는 Harry보다 키가 더 크다. **6** 날씨가 어제보다 더 나쁘다. **7** 이 영화는 저 영화보다 더 재밌었다.

STEP 1

✎ 74쪽

1 faster **2** younger **3** better **4** heavier **5** larger **6** easier **7** hotter **8** more expensive **9** smarter **10** more famous

STEP 2

✎ 75쪽

1 Her hair was shorter than my hair. **2** My sister is lazier than me. **3** I run faster than my brother. **4** My dog is fatter than his dog. **5** This flower is more beautiful than that flower. **6** He works harder than Jacob. **7** This camera is older than that camera. **8** Your room is darker than mine. **9** This book is more interesting than that book. **10** The jacket is cheaper than the coat.

해석 **1** 그녀의 머리는 나의 머리보다 짧았다. **2** 나의 여동생은 나보다 더 게으르다. **3** 나는 나의 형보다 더 빨리 달린다. **4** 나의 개는 그의 개보다 더 뚱뚱하다. **5** 이 꽃은 저 꽃보다 더 아름답다. **6** 그는 Jacob보다 더 열심히 일한다. **7** 이 카메라는 저 카메라보다 더 오래됐다. **8** 너의 방은 나의 방보다 더 어둡다. **9** 이 책은 저 책보다 더 재미있다. **10** 그 재킷은 그 코트보다 더 싸다.

1 Today is colder than yesterday. **2** This green tea is hotter than that water. **3** Watermelons are sweeter than apples. **4** Jason is stronger than Owen. **5** Health is more important than money. **6** Chad danced better than Mike. **7** My fingers are thinner than yours. **8** Motorcycles are more dangerous than cars.

1 Terry is more tired than Mina. **2** This pillow is softer than that pillow. **3** You eat less than Jeremy. **4** This bread is more delicious than that bread. **5** Bill drives more slowly than Andy. **6** My house is higher than that ladder. **7** This book is more useful than that map. **8** Fall is cooler than spring. **9** These shoes are prettier than those boots. **10** I get up earlier than my sister.

Lesson 2 최상급

개념확인 ✎79쪽

A

hot	hottest	nice	nicest
tall	tallest	easy	easiest
cute	cutest	good	best
many	most	slowly	most slowly
helpful	most helpful	little	least
beautiful	most beautiful	exciting	most exciting

B

1 the laziest		**2** the worst	
3 the tallest		**4** the oldest	
5 the hottest		**6** of	
7 in			

해석　**1** Anna는 그의 가족 중에서 가장 게으르다. **2** 그것은 파리에서 가장 나쁜 호텔이었다. **3** Howard는 반에서 가장 키가 큰 학생이다. **4** 그것은 세계에서 가장 나이가 많은 고양이였다. **5** 8월은 일 년 중 가장 더운 달이다. **6** 그는 모든 학생들 중에서 가장 열심히 공부한다. **7** 그녀는 한국에서 가장 유명한 배우이다.

1 the best **2** the oldest **3** the tallest **4** the most expensive **5** the cutest **6** the shortest **7** the highest **8** the biggest **9** the funniest **10** the most careful

1 He is the luckiest man in the world. **2** This is the tallest building in the city. **3** The Nile River is the longest in the world. **4** She is the most famous actress in Korea. **5** His room is the largest in the hotel. **6** Spanish is the easiest for him of all languages. **7** Christmas is the happiest day of the year. **8** Jason is the richest in the village. **9** Korea is the most beautiful country in the world. **10** This is the cheapest bike in the store.

해석　**1** 그는 세상에서 가장 운이 좋은 사람이다. **2** 이것은 그 도시에서 가장 높은 건물이다. **3** 나일강은 세상에서 가장 길다. **4** 그녀는 한국에서 가장 유명한 배우이다. **5** 그의 방은 그 호텔에서 가장 크다. **6** 스페인어는 모든 언어 중에서 그에게 가장 쉽다. **7** 크리스마스는 일 년 중에서 가장 행복한 날이다. **8** Jason은 그 마을에서 가장 부유하다. **9** 한국은 세계에서 가장 아름다운 나라이다. **10** 이것은 그 가게에서 가장 싼 자전거이다.

1 She was the best singer of the three.
2 Sam is the fastest player on the team.
3 This restaurant is the nicest in our town.
4 Yesul works the hardest in the company.
5 Science is the most interesting subject for me. 6 This is the sweetest cake in the bakery. 7 Parker was the bravest soldier in the war. 8 It is the most expensive bag in the store.

1 It is the smallest house in the village.
2 Chile is the longest country in the world.
3 This is the most useful tool for me. 4 It is the most famous restaurant in the city. 5 Lisa is the oldest in the orchestra.
6 Julie's bag is the heaviest of the three.
7 He is the most wonderful dad in the world. 8 It is the biggest museum in New York.

1 ③   2 ①   3 ②   4 ③   5 ③   6 ③
7 ④   8 ③   9 faster   10 the worst
11 more difficult   12 the most popular

1 lazy는 「자음 + y」로 끝나는 단어이므로 y를 i로 바꾸고 -er, -est를 붙여야 한다. 따라서 비교급과 최상급은 각각 lazier, laziest이다.

2 fat은 「단모음 + 단자음」으로 끝나는 단어이므로 마지막 자음 t를 한 번 더 쓰고 -er, -est를 붙여야 한다. 따라서 비교급과 최상급은 각각 fatter, fattest이다.

3 빈칸 뒤에 than이 있으므로 빈칸에는 '비교급'이 와야 하

며 pretty의 비교급은 prettier이다.
• Linda는 예쁘다. 그러나 그녀의 여동생은 그녀보다 더 예쁘다.

4 빈칸 앞에 the가 있고 뒤에 비교의 범위(장소)를 나타내는 말이 왔으므로 최상급 문장이다. 따라서 빈칸에는 형용사나 부사의 최상급 형태가 와야 하므로 비교급인 smarter는 알맞지 않다.
• Tyler는 그의 반에서 가장 <u>키가 크다/현명하다/부지런하다/인기 있다</u>.

5 첫 번째 빈칸에는 뒤에 비교의 대상을 나타내는 복수명사가 왔으므로 of(~중에서)가 적절하며 두 번째 빈칸에는 비교의 범위(장소)를 나타내는 단수명사가 왔으므로 in(~안에서)이 알맞다.
• Robin은 모든 소년들 중에서 가장 똑똑한 소년이다.
• 강 선생님은 우리 학교에서 가장 친절한 선생님이다.

6 서울의 온도는 17도이고 방콕은 23도이므로 '서울이 방콕보다 더 따뜻하다'는 ③번의 내용은 표와 일치하지 않는다.
① 서울은 방콕보다 더 시원하다.
② 방콕은 도쿄보다 더 따뜻하다.
③ 서울은 방콕보다 더 따뜻하다.
④ 도쿄는 셋 중에서 가장 시원하다.
⑤ 방콕은 셋 중에서 가장 덥다.

7 cold의 비교급은 뒤에 -er을 붙이므로 more colder를 colder로 써야 한다.
① Fred는 나보다 키가 더 크다.
② 이 꽃들은 저것들보다 더 예쁘다.
③ Jessica는 Erin보다 더 아름답게 노래를 부른다.
④ 1월은 보통 12월보다 더 춥다.
⑤ 내 남동생은 나보다 그림을 더 잘 그렸다.

8 두 대상을 비교하고 있으므로 「비교급 + than」의 형태가 되어야 한다. 따라서 fastest를 faster로 써야 한다.
① 거북이는 사람보다 더 오래 산다.
② 나의 아빠는 가족 중에서 가장 나이가 많다.
③ 오토바이는 자전거보다 더 빠르다.
④ Sue는 그녀의 반에서 가장 아름답다.
⑤ 이 피자는 저 피자보다 맛있다.

9 '~보다 더 …한'이라는 뜻의 비교급 문장은 「비교급 + than」의 형태로 나타내고 fast의 비교급은 끝에 -er을 붙여서 faster로 쓴다.

10 최상급 문장은 「the + 최상급」의 형태로 쓰며, bad의 최상급은 worst이므로 빈칸에는 the worst를 써야 한다.

11 비교급 문장은 「비교급 + than」의 형태로 쓰며, 3음절

단어인 difficult의 비교급은 앞에 more를 써서 나타내므로 빈칸에는 more difficult를 써야 한다.

12 3음절 단어인 popular의 최상급은 앞에 the most를 써서 나타내므로 빈칸에는 the most popular를 써야 한다.

Unit 6 접속사

Lesson 1 ▶ and, or, but

개념 확인
✎ 89쪽

A
1 ②	2 ①
3 ①	4 ②
5 ②	6 ②
7 ②	

해석 **1** 미나는 친절하고 예의바르다. **2** Brian은 키가 크지만, 그의 형은 키가 작다. **3** 그들은 목마르고 배고팠다. **4** 그녀는 노란색 모자 한 개 또는 흰색 모자 한 개를 살 것이다. **5** 그 동물은 귀엽지만 위험하다. **6** 그는 펜 한 자루, 연필 한 자루, 그리고 자 한 개를 샀다. **7** 너는 물을 원하니 아니면 오렌지주스를 원하니?

B
1 but	2 and
3 but	4 and
5 or	6 or
7 and	

해석 **1** 그는 친절하지만 무섭다. **2** 너는 우유와 빵을 샀니? **3** 저 차는 무겁지만 빠르다. **4** 그녀는 새 양말과 신발을 샀다. **5** 나는 금요일이나 일요일에 소풍을 갈 것이다. **6** 우리는 점심으로 피자나 스파게티를 먹을 것이다. **7** 우리는 축구를 (하기) 위해서 공, 신발, 그리고 물이 필요하다.

STEP 1
✎ 90쪽

1 but **2** or **3** and **4** but **5** and **6** or **7** and **8** but **9** or **10** and

STEP 2
✎ 91쪽

1 It will be windy or cloudy tomorrow. **2** They were rich but unhappy. **3** I am learning math, science, and music. **4** David liked me, but I didn't like him. **5** We are going to play tennis or basketball. **6** Eva went to a bookstore and she bought a book. **7** Jack studied hard, but he failed the test. **8** My mom is a teacher and his mom is a designer. **9** She worked all day, but she wasn't tired. **10** I will play the guitar or the drums at the concert.

해석 **1** 내일은 바람이 불거나 흐릴 것이다. **2** 그들은 부자였지만 불행했다. **3** 나는 수학, 과학, 음악을 배우고 있다. **4** David는 나를 좋아했지만, 나는 그를 좋아하지 않았다. **5** 우리는 테니스 아니면 농구를 할 것이다. **6** Eva는 서점에 갔고 책을 한 권 샀다. **7** Jack은 열심히 공부했지만 시험에서 떨어졌다. **8** 나의 엄마는 선생님이고 그의 엄마는 디자이너이다. **9** 그녀는 하루 종일 일했지만 피곤하지 않았다. **10** 나는 콘서트에서 기타나 드럼을 연주할 것이다.

STEP 3
✎ 92쪽

1 Kelly hates cats, but I love them. **2** These are apples and those are peaches. **3** Is he your father or your uncle? **4** The test was difficult, but he did his best. **5** Do you like giraffes or elephants? **6** James is eating pizza and spaghetti. **7** I read a book or a magazine at night. **8** It was snowing, but we played outside.

STEP 4
✎ 93쪽

1 It will rain or snow tomorrow. **2** My bicycle is old but strong. **3** The players are young and fast.   4 The bear is very big but cute.   5 Henry learns Chinese and Mia learns Spanish.   6 Yumi wants a watch or a necklace.   7 He was tired, but he finished his homework.   8 I need an eraser, paper, and scissors.

Lesson 2 because, so

개념 확인   🖊 95쪽

Ⓐ 1 because   2 so
    3 so   4 because
    5 because   6 so
    7 because

해석 1 나는 감기에 걸려서 학교에 가지 않았다.   2 눈이 내려서 우리는 집에 머물렀다.   3 그는 피곤해서 일찍 잠자리에 들었다.   4 홍 선생님은 내가 늦어서 화가 나셨다.   5 비가 내려서 우리는 공연을 취소했다.   6 그녀는 시합에서 져서 울었다.   7 나는 배가 고파서 그 피자를 먹었다.

Ⓑ 1 원인   2 원인
    3 결과   4 결과
    5 원인   6 결과
    7 결과

해석 1 나는 늦게 일어나서 그 버스를 놓쳤다.   2 시끄러워서 나는 TV를 껐다.   3 매우 추워서 우리는 축구를 하지 않았다.   4 배가 불렀기 때문에 나는 그 빵을 먹지 않았다.   5 날씨가 화창해서 우리는 소풍을 갔다.   6 목이 말랐기 때문에 그는 우유를 마셨다.   7 두통이 있어서 나는 약을 먹었다.

STEP 1   🖊 96쪽

1 because   2 so   3 because   4 so
5 because   6 so   7 because   8 so
9 Because 10 so

STEP 2   🖊 97쪽

1 He is very popular because he sings beautifully.   2 I can run really fast, so I will win the game.   3 I took the stairs because the elevator was broken.   4 We made a snowman because it snowed a lot.   5 I ate three hamburgers, so I'm not hungry.   6 It was hot so she turned off the heater.   7 I apologized to him because I lost his pen.   8 It is Sunday, so they don't go to school.   9 I was late for school because I missed the bus.   10 He can solve the problem because he is smart.

해석 1 그는 노래를 아름답게 불러서 매우 인기가 있다.   2 나는 정말 빨리 달릴 수 있기 때문에 그 경기에서 이길 것이다.   3 엘리베이터가 고장나서 나는 계단을 이용했다.   4 눈이 많이 내려서 우리는 눈사람을 만들었다.   5 나는 햄버거를 세 개 먹었기 때문에 배고프지 않다.   6 더웠기 때문에 그녀는 히터를 껐다.   7 나는 그의 펜을 잃어버려서 그에게 사과를 했다.   8 일요일이기 때문에 그들은 학교에 가지 않는다.   9 나는 버스를 놓쳐서 학교에 늦었다.   10 그는 똑똑해서 그 문제를 풀 수 있다.

STEP 3   🖊 98쪽

1 It is very noisy outside so I can't sleep.   2 She will buy a new bag because she lost her bag.   3 We can't help you because we are very busy.   4 It was very cold, so I closed the window.   5 I can't buy the camera because I don't have money.   6 He played tennis all morning, so he was hungry.   7 My mom is healthy because she exercises every day.   8 I will make pizza, so I need some tomato sauce.

1 I get up late, so I can't eat breakfast.
2 Clara is kind, so I like her.   **3** Olivia ate ice cream because it was very hot.   **4** He hurt his arm because he fell down yesterday.   **5** It was sunny, so we took a walk.   **6** I am happy because I have many friends.   **7** She is strong, so she can carry many books.   **8** I don't have a car because I can't drive.

실전 테스트 ✎ 100~102쪽

1 ①   **2** ④   **3** ②   **4** ③   **5** ⑤   **6** ④
7 ⑤   **8** ③   **9** short but boring
10 cake or ice cream
11 so I fell asleep
12 because I got up late

1 '~때문에, ~해서'라는 뜻으로 이유나 원인을 나타내는 접속사는 because이다.

2 서로 반대되는 내용을 연결하는 접속사는 but이다.

3 두 문장 모두 비슷한 내용을 연결하는 접속사가 필요하므로 빈칸에 공통으로 알맞은 것은 and이다. 두 번째 문장처럼 3개 이상을 연결할 때는 마지막 말 앞에 콤마와 접속사를 쓴다.
- 나는 그 가게에서 꽃 조금과 꽃병 하나를 샀다.
- 우리는 밀가루, 계란, 그리고 우유가 조금 필요하다.

4 두 문장 모두 선택의 뜻을 가진 접속사가 필요하므로 빈칸에 공통으로 알맞은 것은 or이다.
- 우리는 이번 토요일에 스케이트나 스키를 타러 갈 수 있다.
- 그는 너의 아들이니 아니면 너의 조카니?

5 첫 번째 빈칸에는 '내가 기분이 좋은 것(I feel good)'의 원인이 '시합에서 이긴 것(won the game)'이므로 이유나 원인을 나타내는 접속사 because가 알맞다. 두 번째 빈칸에는 선택의 뜻을 가진 접속사 or가 알맞다.
- 나는 시합에서 이겨서 기분이 좋다.
- 우리는 내일 영화 보러 가거나 콘서트에 갈 수 있다.

6 날개가 있다는 것과 날 수 없다는 것은 서로 반대되는 내용이므로 접속사 but을 사용하여 연결한다.

7 ⑤번은 '빨간색을 좋아하지 않는 것'이 원인이고 '빨간 치마를 사지 않은 것'이 결과이므로 so(그래서, 그러므로)가 아니라 원인을 나타내는 because(~ 때문에)를 써야 한다.
① Sue는 아파서 병원에 있다.
② 내가 창문을 깨서 엄마는 화가 나셨다.
③ 네 여동생이 자고 있으니 TV를 꺼라.
④ 그는 서두르지 않았기 때문에 학교에 늦었다.
⑤ Jane은 빨간색을 좋아하지 않기 때문에 이 빨간 치마를 사지 않을 것이다.

8 ③번은 의미상 월요일 아니면 화요일에 도착한다는 뜻이므로 and가 아니라 선택의 뜻을 나타내는 접속사 or를 써야 한다.
① 그녀는 미국인이니 캐나다인이니?
② 너는 물을 원하니 아니면 주스를 원하니?
③ 그는 월요일 또는 화요일에 도착할 것이다.
④ 매우 추워서 나는 창문을 닫았다.
⑤ 그는 당근을 싫어하지만 이 당근 케이크를 좋아할 것이다.

9 이야기가 짧았는데도 지루함을 느꼈다는 반대되는 내용이므로 접속사 but을 써서 문장을 완성한다.

10 '또는'의 의미로 선택의 대상을 연결하고 있으므로 접속사 or를 써서 문장을 완성한다.

11 피곤해서 잠이 들었다는 결과에 대해서 이야기하고 있으므로 접속사 so를 써서 문장을 완성한다.

12 기차를 놓친 이유에 대해서 이야기하고 있으므로 접속사 because를 써서 문장을 완성한다.

Unit 7 감탄문

Lesson 1 What으로 시작하는 감탄문

개념 확인
✎ 105쪽

A

1 ②	2 ①
3 ②	4 ②
5 ①	6 ②
7 ①	

해석 1 그녀는 정말 예쁜 소녀구나! 2 이것은 정말 큰 집이구나! 3 그는 정말 힘센 소년이구나! 4 그것은 정말 놀라운 이야기구나! 5 너는 정말 귀여운 소녀였구나! 6 그들은 정말 사랑스러운 아기구나! 7 저것들은 정말 흥미로운 책이구나!

B

1 houses	2 What a
3 he is	4 What
5 they are	6 watch
7 they are	

해석 1 그것들은 정말 멋진 집이구나! 2 이것은 정말 깨끗한 강이구나! 3 그는 정말 빠른 달리기 선수구나! 4 그녀는 정말 긴 머리를 가졌구나! 5 그것들은 정말 귀여운 강아지구나! 6 그것은 정말 비싼 시계구나! 7 그것들은 정말 아름다운 꽃이구나!

STEP 1
✎ 106쪽

1 What 2 a 3 she 4 is 5 an 6 girl
7 nice 8 flowers 9 is 10 wonderful

해석 1 그들은 매우 똑똑한 소년들이다. → 그들은 정말 똑똑한 소년들이구나! 2 매우 화창한 날이다. → 정말 화창한 날이구나! 3 그녀는 매우 게으른 학생이다. → 그녀는 정말 게으른 학생이구나! 4 그것은 매우 슬픈 영화이다. → 그것은 정말 슬픈 영화구나! 5 그것은 매우 놀라운 로봇이다. → 그것은 정말 놀라운 로봇이구나! 6 너는 매우 예의바른 소녀이다. → 너는 정말 예의바른 소녀구나! 7 그들은 매우 멋진 집을 가지고 있다. → 그들은 정말 멋진 집을 가지고 있구나! 8 저것들은 매우 다채로운 꽃이다. → 저것들은 정말 다채로운 꽃들이구나! 9 그는 매우 귀여운 소년이다. → 그는 정말 귀여운 소년이구나! 10 그것들은 매우 멋진 그림들이다. → 그것들은 정말 멋진 그림들이구나!

STEP 2
✎ 107쪽

1 What a handsome man he is! 2 What sour oranges these are! 3 What an old car John has! 4 What a long bridge it is! 5 What a wonderful voice Irene has! 6 What fancy shoes these are! 7 What a kind teacher she is! 8 What a beautiful garden they have! 9 What a great musical it is! 10 What an interesting book it is!

해석 1 그는 정말 잘생긴 남자구나! 2 이것들은 정말 시큼한 오렌지구나! 3 John은 정말 오래된 차를 가지고 있구나! 4 그것은 정말 긴 다리구나! 5 Irene은 정말 멋진 목소리를 가지고 있구나! 6 이것들은 정말 화려한 신발이구나! 7 그녀는 정말 친절한 선생님이구나! 8 그들은 정말 아름다운 정원을 가지고 있구나! 9 그것은 정말 멋진 뮤지컬이구나! 10 그것은 정말 흥미로운 책이구나!

STEP 3
✎ 108쪽

1 What a great writer he is! 2 What cold water it is! 3 What old coins she has! 4 What delicious bread this is! 5 What a famous singer he is! 6 What an exciting game it is! 7 What an expensive coat it is! 8 What nice sunglasses those are! 9 What a smart dog you have! 10 What brave police officers they are!

해석 1 그는 매우 훌륭한 작가이다. → 그는 정말 훌륭한 작가구나! 2 그것은 매우 차가운 물이다. → 그것은 정말 차가운 물이구나! 3 그녀는 매우 오래된 동전들을 가지고 있다. → 그녀는 정말 오래된 동전들을 가지고 있구나! 4 이것은 매우 맛있는 빵이다. → 이것은 정말 맛있는 빵이구나! 5 그는 매우 유명한 가수이다. → 그는 정말 유명한 가수구나! 6 그것은 매우 신나는 게임이다. → 그것은 정말 신나는 게임이구나! 7 그것은 매우 비싼 코트이다. → 그것은 정말 비싼 코트구나! 8 저것들은 매우 멋진 선글라스이다. → 저것들은 정말 멋진 선글라스구나! 9 너는 매우 똑똑한 개가 있다. → 너는 정말 똑똑한 개가 있구나! 10 그들은 매우 용감한 경찰관이다. → 그들은 정말 용감한 경찰관이구나!

1 What thin fingers he has! 2 What an amazing car it is! 3 What a comfortable sofa this is! 4 What a clean lake it is! 5 What easy questions they are! 6 What a wonderful concert it is! 7 What an interesting hobby you have! 8 What warm gloves these are! 9 What pretty skirts they are! 10 What a boring movie it is!

해석 1 그 아이들은 매우 사랑스럽다. → 그 아이들은 정말 사랑스럽구나! 2 그 다리는 매우 길다. → 그 다리는 정말 길구나! 3 너는 매우 운이 좋다. → 너는 정말 운이 좋구나! 4 그 쿠키들은 매우 맛있다. → 그 쿠키들은 정말 맛있구나! 5 Mia는 매우 빨리 달린다. → Mia는 정말 빨리 달리는구나! 6 나의 아버지는 매우 건강하시다. → 나의 아버지는 정말 건강하시구나! 7 그들은 매우 아름답게 노래한다. → 그들은 정말 아름답게 노래하는구나! 8 그 소년은 축구를 매우 잘한다. → 그 소년은 정말 축구를 잘하는구나! 9 너의 오빠는 매우 바쁘다. → 너의 오빠는 정말 바쁘구나! 10 Leo는 매우 행복하게 산다. → Leo는 정말 행복하게 사는구나!

Lesson 2 How로 시작하는 감탄문

개념확인 ✏️111쪽

A 1 ① 2 ②
3 ① 4 ②
5 ② 6 ①
7 ②

해석 1 이 강은 정말 깨끗하구나! 2 그는 정말 빠르게 먹는구나! 3 너는 정말 쉽게 잊는구나! 4 그 새들은 정말 높이 나는구나! 5 그 햄스터들은 정말 귀엽구나! 6 그녀는 정말 노래를 잘하는구나! 7 이 채소들은 정말 신선하구나!

B 1 What 2 How
3 How 4 What
5 How 6 How
7 What

해석 1 그녀는 정말 짧은 머리를 가지고 있구나! 2 그는 정말 어리석구나! 3 그 고양이는 정말 작구나! 4 정말 더운 날이구나! 5 달팽이들은 정말 느리게 움직이는구나! 6 이 장소는 정말 아름답구나! 7 정말 멋진 세상이구나!

1 How 2 long 3 are 4 delicious 5 runs 6 healthy 7 sing 8 the boy 9 is 10 happily

1 How large the park is! 2 How lazy the boy is! 3 How friendly the teacher is! 4 How fat these pigs are! 5 How sad the movie is! 6 How loudly you snore! 7 How high Emma jumps! 8 How wise your parents are! 9 How well they dance! 10 How brave the soldier is!

해석 1 그것은 정말 큰 공원이구나! 2 그 소년은 정말 게으르구나! 3 그 선생님은 정말 친절하시구나! 4 이 돼지들은 정말 뚱뚱하구나! 5 그 영화는 정말 슬프구나! 6 너는 정말 시끄럽게 코를 고는구나! 7 Emma는 정말 높이 뛰는구나! 8 너의 부모님은 정말 현명하시구나! 9 그들은 정말 춤을 잘 추는구나! 10 그 군인은 정말 용감하구나!

1 How healthy this food is! 2 How angry they are! 3 How funny your sister is! 4 How friendly that boy is! 5 How big your shoes are! 6 How exciting the game is! 7 How busy your mother is! 8 How difficult this question is! 9 How fluently he speaks English! 10 How far she throws the ball!

해석 1 이 음식은 매우 건강에 좋다. → 이 음식은 정말 건강에 좋구나! 2 그들은 매우 화가 났다. → 그들은 정말 화가 났구나! 3 너의 언니는 매우 재미있다. → 너의 언니는 정말 재미있구나!

4 저 소년은 매우 상냥하다. → 저 소년은 정말 상냥하구나!　**5** 너의 신발은 매우 크다. → 너의 신발은 정말 크구나!　**6** 그 경기는 매우 흥미진진하다. → 그 경기는 정말 흥미진진하구나!　**7** 너의 어머니는 매우 바쁘시다. → 너의 어머니는 정말 바쁘시구나!　**8** 이 문제는 매우 어렵다. → 이 문제는 정말 어렵구나!　**9** 그는 영어를 매우 유창하게 한다. → 그는 영어를 정말 유창하게 하는구나!　**10** 그녀는 공을 매우 멀리 던진다. → 그녀는 공을 정말 멀리 던지는구나!

STEP 4
🖉 115쪽

1 How beautiful these roses are!　**2** How big your room is!　**3** How sharp this knife is!　**4** How bright those stars are!　**5** How hot this soup is!　**6** How high that tower is!　**7** How dirty yours socks are!　**8** How large the garden is!　**9** How gracefully they dance!　**10** How well he plays the violin!

실전 테스트
🖉 116~118쪽

1 ②　**2** ①　**3** ②　**4** ④　**5** ①　**6** ③
7 ③　**8** ①　**9** What a great artist
10 How cool　**11** What a nice shirt
12 How delicious

1 빈칸 뒤에 「a + 형용사(wonderful) + 명사(voice) + 주어(she) + 동사(has)」가 왔으므로 What이 알맞다.
· 그녀는 정말 멋진 목소리를 가졌구나!

2 빈칸 뒤에 「형용사(pretty) + 주어(your smile) + 동사(is)」가 왔으므로 How가 알맞다.
· 네 미소는 정말 예쁘구나!

3 What으로 시작하는 감탄문은 「What + a/an + 형용사 + 명사 + 주어 + 동사 ~!」 순서로 쓰므로 부정관사 a는 형용사 cute 앞에 위치해야 한다.

4 ④번은 빈칸 뒤에 「a + 형용사(nice) + 명사(girl)」가 있으므로 What으로 시작하는 감탄문이며, 나머지는 모두 빈칸 뒤에 명사 없이 형용사만 있으므로 How로 시작하는 감탄문이다.
① 그녀는 정말 친절하구나!

② 그 소년들은 정말 재밌구나!
③ 그 집은 정말 크구나!
④ 그녀는 정말 훌륭한 소녀구나!
⑤ 그 경기는 정말 흥미진진하구나!

5 첫 번째 빈칸에는 '무엇'이라는 뜻의 의문사가 필요하고, 두 번째 문장은 빈칸 뒤에 「a + 형용사 + 명사」가 쓰인 감탄문이므로 빈칸에 공통으로 알맞은 것은 What이다.
· 너는 어제 무엇을 샀니?
· 너는 정말 현명한 딸이 있구나!

6 첫 번째 문장은 빈칸 뒤에 「형용사 + 주어 + 동사」가 쓰인 감탄문이고, 두 번째 빈칸에는 '얼마나'라는 뜻의 의문사가 필요하므로 빈칸에 공통으로 알맞은 것은 How이다.
· 나는 정말 행복하구나!
· 너는 몇 살이니?

7 ③번은 형용사(cute) 뒤에 꾸밈을 받는 명사(socks)가 있으므로 How를 What으로 고쳐야 한다.
① 너는 정말 불쌍하구나!
② 그것은 정말 큰 도시구나!
③ 이것들은 정말 귀여운 양말이구나!
④ 그는 정말 정직한 남자구나!
⑤ 저 기린들은 정말 키가 크구나!

8 ①번은 명사 없이 「형용사(smart) + 주어(he) + 동사(is)」가 쓰였으므로 What을 How로 고쳐야 한다.
① 그는 정말 똑똑하구나!
② 그녀는 정말 높이 뛰었구나!
③ 그는 정말 기타를 잘 연주하는구나!
④ 그것은 정말 비싼 가방이구나!
⑤ 저 채소들은 정말 신선하구나!

9 artist라는 명사가 있으므로 What으로 시작하는 감탄문을 써야 한다. What으로 시작하는 감탄문은 「What + (a / an) + 형용사 + 명사 + (주어 + 동사)!」 순서로 쓰고, 명사가 단수이므로 관사 a와 함께 쓴다.

10 명사 없이 형용사만 있으므로 How로 시작하는 감탄문을 써야 한다. How로 시작하는 감탄문의 형태는 「How + 형용사 / 부사 + (주어 + 동사)!」이다.

11 shirt라는 명사가 있으므로 What으로 시작하는 감탄문을 써야 한다. What으로 시작하는 감탄문은 「What + (a / an) + 형용사 + 명사 + (주어 + 동사)!」 순서로 쓰고, 명사가 단수이므로 관사 a와 함께 쓴다.

12 명사 없이 형용사만 있으므로 how를 사용하여 감탄문을 써야 한다. How로 시작하는 감탄문의 형태는 「How + 형용사 / 부사 + (주어 + 동사)!」이다.

Unit 8 부가의문문

Lesson 1 부가의문문의 형태

개념확인
📝 121쪽

A
1 is she	**2** doesn't he
3 aren't they ?	**4** didn't he
5 weren't they	**6** did she

해석 **1** 그녀는 아프지 않아, 그렇지 **2** Jason은 형이 있어, 그렇지 않니? **3** 그들은 영국에서 왔어, 그렇지 않니? **4** 그는 그 시험을 통과했어, 그렇지 않니? **5** 그들은 행복했어, 그렇지 않니? **6** Hanna는 그 소식을 듣지 못했어, 그렇지?

B
1 ⓒ	**2** ⓐ
3 ⓕ	**4** ⓑ
5 ⓔ	**6** ⓓ

해석 **1** 너는 카메라가 있어, 그렇지 않니? **2** 그는 배고프지 않았어, 그렇지? **3** 그들은 최선을 다했어, 그렇지 않니? **4** Mike는 사과를 싫어해, 그렇지? **5** 그들은 좋은 학생들이야, 그렇지 않니? **6** Beth는 너의 여자친구야, 그렇지 않니?

STEP 1
📝 122쪽

1 do you **2** wasn't he **3** did they **4** is it
5 didn't she **6** was it **7** did he **8** isn't it
9 doesn't she **10** aren't they

STEP 2
📝 123쪽

1 She was in the theater, wasn't she?
2 Your brother doesn't wear glasses, does he? **3** The computer is new, isn't it?
4 She put sugar in the coffee, didn't she?
5 The watch isn't expensive, is it? **6** They didn't go hiking, did they? **7** The flowers are beautiful, aren't they? **8** Alice and Ted ate the pizza, didn't they? **9** His

sister is five years old, isn't she? **10** Your uncle doesn't have any cats, does he?

해석 **1** 그녀는 극장 안에 있었어, 그렇지 않니? **2** 네 남동생은 안경을 쓰지 않아, 그렇지? **3** 그 컴퓨터는 새 거야, 그렇지 않니? **4** 그녀는 그 커피에 설탕을 넣었어, 그렇지 않니? **5** 그 시계는 비싸지 않아, 그렇지? **6** 그들은 하이킹을 가지 않았어, 그렇지? **7** 그 꽃들은 아름다워, 그렇지 않니? **8** Alice와 Ted가 그 피자를 먹었어, 그렇지 않니? **9** 그의 여동생은 다섯 살이야, 그렇지 않니? **10** 네 삼촌은 고양이가 없어, 그렇지?

STEP 3
📝 124쪽

1 You don't need paper and scissors, do you? **2** His sister is ten years old, isn't she? **3** My mom didn't tell a lie, did she? **4** The box wasn't empty, was it? **5** Jina and Lisa live in San Francisco, don't they? **6** He is not a baseball player, is he? **7** Your brother doesn't eat seafood, does he? **8** You are from Mexico, aren't you? **9** Mark arrived earlier than you, didn't he? **10** The players are stronger than us, aren't they?

해석 **1** 너는 종이와 가위가 필요하지 않아, 그렇지? **2** 그의 여동생은 열 살이야, 그렇지 않니? **3** 나의 엄마는 거짓말을 하지 않았어, 그렇지? **4** 그 상자는 비어 있지 않았어, 그렇지? **5** Jina와 Lisa는 샌프란시스코에 살아, 그렇지 않니? **6** 그는 야구 선수가 아니야, 그렇지? **7** 네 남동생은 해산물을 먹지 않아, 그렇지? **8** 너는 멕시코에서 왔어, 그렇지 않니? **9** Mark는 너보다 더 일찍 도착했어, 그렇지 않니? **10** 그 선수들은 우리보다 더 힘이 세, 그렇지 않니?

STEP 4
📝 125쪽

1 She doesn't[does not] keep a diary, does she? **2** The story isn't[is not] true, is it? **3** We didn't[did not] watch the movie, did we? **4** You don't[do not] like the pants, do you? **5** He was your math teacher, wasn't he? **6** Ted and Jane take the class, don't they? **7** You took the pictures, didn't you? **8** His parents aren't[are not] at home, are they? **9** Chinese is difficult, isn't it? **10** The puppies are cute, aren't they?

Lesson 2 여러 가지 부가의문문

개념 확인 ✎ 127쪽

A **1** will you **2** can they **3** shall we **4** will he **5** will you **6** won't she

해석 **1** 양치를 해라, 알았지? **2** 닭들은 날 수 없어, 그렇지? **3** 여기에서 크게 이야기하지 말자, 그럴래? **4** 그는 저 차를 사지 않을 거야, 그렇지? **5** 창문을 닫지 마라, 알았지? **6** 그녀는 학교에 올 거야, 그렇지 않니?

B **1** ⓕ **2** ⓑ **3** ⓔ **4** ⓒ **5** ⓐ **6** ⓓ

해석 **1** 그녀는 다음 주에 런던에 갈 거야, 그렇지 않니? **2** 그들은 한국어를 할 수 있어, 그렇지 않니? **3** 교실을 청소하자, 그럴래? **4** 그들은 택시를 타지 않을 거야, 그렇지? **5** 그는 생선을 못 먹어, 그렇지? **6** 아침에 나를 깨우지 마라, 알았지?

STEP 1 ✎ 128쪽

1 won't you **2** can't he **3** shall we **4** will you **5** won't they **6** can you **7** will she **8** shall we **9** will you **10** can you

STEP 2 ✎ 129쪽

1 They will come to the party, won't they? **2** Wash your hair, will you? **3** Let's not drive too fast, shall we? **4** You can solve that problem, can't you? **5** Don't cut the paper, will you? **6** They can eat spicy food, can't they? **7** She won't buy a new car, will she? **8** Let's eat some cake for dessert, shall we? **9** You won't be late for dinner, will you? **10** Jerry and Paul can't go home early, can they?

해석 **1** 그들은 파티에 올 거야, 그렇지 않니? **2** 머리를 감아라, 알았지? **3** 너무 빨리 운전하지 말자, 그럴래? **4** 너는 저 문제를 풀 수 있어, 그렇지 않니? **5** 그 종이를 자르지 마라, 알았지? **6** 그들은 매운 음식을 먹을 수 있어, 그렇지 않니? **7** 그녀는 새 차를 사지 않을 거야, 그렇지? **8** 디저트로 케이크를 좀 먹자, 그럴래? **9** 너는 저녁 식사에 늦지 않을 거야, 그렇지? **10** Jerry와 Paul은 집에 일찍 갈 수 없어, 그렇지?

STEP 3 ✎ 130쪽

1 Visitors can enter the cave, can't they? **2** Let's watch a movie after school, shall we? **3** Put on a rain coat, will you? **4** We can see penguins at the zoo, can't we? **5** They won't go to the library, will they? **6** Your sister can ride a skateboard, can't she? **7** Let's not sit on that bench, shall we? **8** Don't touch the paintings, will you? **9** You can't bring your dog to the beach, can you? **10** Your son will exercise every day, won't he?

해석 **1** 방문객들은 그 동굴에 들어갈 수 있어, 그렇지 않니? **2** 우리 방과 후에 영화 보자, 그럴래? **3** 우비를 입어라, 알았지? **4** 우리는 동물원에서 펭귄들을 볼 수 있어, 그렇지 않니? **5** 그들은 도서관에 가지 않을 거야, 그렇지? **6** 너희 언니는 스케이트보드를 탈 수 있어, 그렇지 않니? **7** 저 벤치에 앉지 말자, 그럴래? **8** 그 그림들을 만지지 마라, 알았지? **9** 너는 해변에 개를 데려올 수 없어, 그렇지? **10** 너의 아들은 매일 운동을 할 거야, 그렇지 않니?

1 Don't[Do not] tell a lie, will you?   2 They will[They'll] take the bus, won't they?   3 You can speak French, can't you?   4 Let's buy some presents for Anna, shall we?   5 Drink a lot of water, will you?   6 He can play chess, can't he?   7 Your friends won't[will not] come, will they?   8 Let's not turn off the heater, shall we?   9 Your sister can't ride a bike, can she?   10 You won't[will not] make dinner, will you?

실전 테스트 ✎ 132~134쪽

1 ④   2 ④   3 ③   4 ①   5 ③   6 ②
7 ②   8 ⑤   9 isn't he   10 did you
11 shall we   12 won't they

1 평서문이 긍정이므로 부정의 부가의문문을 써야 한다. 일반동사(likes)가 쓰였으면 조동사를 사용해서 부가의문문을 만들어야하고, 주어(Your daughter)는 대명사로 써야 하므로 doesn't she가 알맞다.
• 너의 딸은 초콜릿을 아주 많이 좋아해, 그렇지 않니?

2 Let's 제안문의 부가의문문은 항상 shall we를 쓴다.
• 공원에 산책 가자, 그럴래?

3 첫 번째 문장은 앞이 부정이므로 긍정의 부가의문문이 와야 하고, 두 번째 문장은 명령문으로 부가의문문은 항상 will you를 써야 하므로 빈칸에 공통으로 알맞은 것은 will이다.
• 너는 너의 나라로 돌아가지 않을 거야, 그렇지?
• 나를 위해 그 문을 열어라, 알았지?

4 첫 번째 빈칸에는 평서문의 주어가 We이므로 부가의문문의 주어도 we가 와야 하고, 두 번째 문장은 Let's 제안문으로 부가의문문은 항상 shall we이므로 빈칸에 공통으로 알맞은 것은 we이다.
• 우리는 그 세탁기를 쓸 수 있어, 그렇지 않니?
• 소풍 가자, 그럴래?

5 첫 번째 빈칸에는 명령문의 부가의문문이 will you이므로 will이 알맞고, 두 번째 빈칸에는 평서문이 긍정이므로 부정의 부가의문문이 와야 해서 조동사 can't가 알맞다.
• 잔디에 앉지 마라, 알았지?
• 너는 테니스를 칠 수 있어, 그렇지 않니?

6 첫 번째 빈칸에는 Let's 제안문의 부가의문문이 shall we이므로 shall이 알맞고, 두 번째 빈칸에는 평서문이 긍정일 때 부정의 부가의문문이 와야 하고 과거형으로 쓰였으므로 didn't가 알맞다.
• 이번주 토요일에 수영하러 가자, 그럴래?
• Tyler는 그 동아리에 가입했어, 그렇지 않니?

7 명령문의 부가의문문은 긍정과 부정에 상관없이 모두 will you이므로 ②번은 will you로 써야 한다.
① 너는 그곳에 있을 거야, 그렇지 않니?
② 그 숫자를 잊지 마라, 알았지?
③ 백화점에 가자, 그럴래?
④ 너는 점심 먹고 양치를 했어, 그렇지 않니?
⑤ 그들은 지난 주말에 Smith 씨를 방문했어, 그렇지 않니?

8 ⑤번은 be동사가 쓰였으므로 부가의문문에 be동사의 부정형이 와야 한다. 따라서 isn't she로 써야 한다.
① 그 컴퓨터를 꺼라, 알았지?
② 수업에 늦지 마라, 알았지?
③ Ashley는 쇼핑하러 갔어, 그렇지 않니?
④ 너는 중국어를 할 수 있어, 그렇지 않니?
⑤ Jane은 네 영어 선생님이야, 그렇지 않니?

9 평서문이 긍정이므로 부정의 부가의문문이 와야 하고, be동사가 쓰였으므로 빈칸에는 isn't he가 알맞다.

10 평서문이 부정이므로 긍정의 부가의문문이 와야 하고, 조동사 didn't가 쓰였으므로 did you가 알맞다.

11 Let's 제안문의 부가의문문은 항상 shall we로 쓴다.

12 평서문이 긍정이면 부정의 부가의문문이 오고, 조동사 will이 쓰였으므로 빈칸에는 won't they가 알맞다.

단어 TEST

✎ 워크북 138쪽

1	drop	6	soldier
2	empty	7	fence
3	hug	8	dry
4	vase	9	kitchen
5	badminton	10	playground

11	치다, 때리다	16	두다, 놓다
12	즐기다	17	결혼식
13	서랍	18	경기장, 들판
14	변호사	19	기자
15	걱정하다	20	흥미로운

해석 TEST

✎ 워크북 139쪽

1 어제는 추웠다.
2 그는 그의 아기를 안아주었다.
3 우리는 작은 호텔에 머물렀다.
4 Jeremy는 기자였다.
5 그들은 테니스 선수였다.
6 나의 엄마는 나에 대해 걱정하셨다.
7 Jessica는 작년에 그 책을 읽었다.
8 그 뮤지컬 티켓은 비쌌다.
9 나는 헤어드라이기로 머리를 말렸다.
10 그 어린이들은 놀이터에 있었다.

영작 TEST ①

✎ 워크북 140쪽

1 The rings were hers.
2 We were in the kitchen.
3 My uncle was a lawyer.
4 They enjoyed the wedding.
5 The chairs were heavy.
6 My brother washed the dishes.
7 The story was interesting.
8 Mina sent an email to Junsu.
9 He hit the ball with a bat.
10 I planned a surprise party for her.

영작 TEST ②

✎ 워크북 141쪽

1 Elsa took these pictures.
2 She was my teacher.
3 Those boxes were empty.
4 Justin dropped his key.
5 My parents were in my room.
6 Sam cut these carrots.
7 Harry and Liam were soldiers.
8 Your puppy was cute.
9 We played badminton yesterday.
10 Emma put her book in my bag.

단어 TEST
✎ 워크북 144쪽

1	gym	6	ticket
2	beef	7	order
3	poor	8	newspaper
4	skirt	9	train
5	famous	10	classmate
11	혼자인	16	정원
12	소식	17	이야기
13	깨다	18	아침
14	간호사	19	채소
15	목마른	20	위험한

해석 TEST
✎ 워크북 145쪽

1 그들은 정원에 있었니?
2 Cindy는 파란 치마를 샀니?
3 아침에는 비가 내리지 않았다.
4 그 티켓들은 비싸지 않았다.
5 Andy는 어제 어디에 있었니?
6 Sally는 지하철을 타지 않았다.
7 너는 오늘 아침에 체육관에 갔니?
8 그 길은 위험하지 않았다.
9 마을에 우체국이 있었니?
10 그들은 지난주에 축구를 하지 않았다.

영작 TEST ①
✎ 워크북 146쪽

1 Was Molly a photographer?
2 The socks weren't[were not] mine.
3 Did he live in Busan?
4 We didn't[did not] hear the news.
5 Were you tired after the trip?
6 Did you take the train?
7 The test wasn't[was not] easy.
8 Was there a picture on the wall?
9 Did Toby read the newspaper?
10 They didn't[did not] visit the museum.

영작 TEST ②
✎ 워크북 147쪽

1 Did you write this story?
2 I wasn't poor.
3 Was Elliot a nurse?
4 I didn't wear jeans.
5 Were they famous?
6 My cats weren't thirsty.
7 Did she break my window?
8 Were you his classmate?
9 Scott didn't use my pen.
10 We didn't order beef.

단어 TEST
✎ 워크북 150쪽

1	fix	6	tie
2	die	7	loudly
3	grass	8	kite
4	blouse	9	hide
5	noise	10	ride
11	첼로	16	밖에(서)
12	벤치, 긴 의자	17	먹이를 주다
13	눕다	18	거울
14	따르다	19	페인트칠하다
15	낮잠	20	연습하다

해석 TEST
✎ 워크북 151쪽

1 우리는 산책을 하고 있었다.

2 그는 무엇을 마시고 있었니?

3 그녀는 잔디 위에 누워 있었다.

4 너는 카드를 쓰고 있었니?

5 그의 아기는 크게 울고 있었다.

6 그는 벤치 위에 앉아 있지 않았다.

7 너는 블라우스를 입고 있었다.

8 나는 거울을 보고 있지 않았다.

9 그는 그의 방을 치우고 있었니?

10 그들은 무대 위에서 춤추고 있지 않았다.

영작 TEST ①
✎ 워크북 152쪽

1 Was he taking a nap?

2 We weren't making a noise.

3 Mary was baking a cake.

4 Eddy and I were having dinner.

5 She wasn't riding a bike.

6 Tony was cutting meat.

7 Were you flying a kite?

8 We were swimming in the pool.

9 Sandy wasn't painting the wall.

10 Were they playing tennis?

영작 TEST ②
✎ 워크북 153쪽

1 We weren't running.

2 Were you feeding your cat?

3 It wasn't raining outside.

4 They were playing baseball.

5 What were you hiding?

6 Jamie was practicing the cello.

7 He was sitting on my desk.

8 Was she wearing shoes?

9 Tony wasn't fixing his computer.

10 I was tying my hair.

단어 TEST
✎ 워크북 156쪽

1	soon	6	tonight
2	climb	7	borrow
3	join	8	picnic
4	result	9	mountain
5	warm	10	postcard
11	성	16	선물
12	나중에	17	반납하다
13	도착하다	18	초대하다
14	한가한, 무료의	19	주말
15	(식물을) 심다	20	호박

해석 TEST
✎ 워크북 157쪽

1 오늘 밤에 비가 오지 않을 것이다.
2 그녀는 몇 시에 그를 만날 거니?
3 너는 세차를 할 거니?
4 그들은 곧 결과를 알게 될 것이다.
5 그들은 박물관을 방문할 거니?
6 Jessica는 그에게 엽서를 쓸 것이다.
7 그는 그 책들을 반납할 것이다.
8 나는 그 우산을 사지 않을 것이다.
9 너는 이번 주말에 소풍을 갈 거니?
10 나의 부모님은 내일 도착하실 것이다.

영작 TEST ①
✎ 워크북 158쪽

1 I am going to call you later.
2 He is not going to invite Tom.
3 Are you going to climb the mountain?
4 We are not going to play outside.
5 Mark is going to keep a diary.
6 When are you going to buy his gift?
7 Are they going to go skiing tomorrow?
8 I am not going to take a taxi.
9 We are going to visit the castle.
10 Is Amy going to go to the concert?

영작 TEST ②
✎ 워크북 159쪽

1 Will you meet Julia tomorrow?
2 Kevin won't be free.
3 We will learn Chinese.
4 It will be warm this weekend.
5 Who will you invite?
6 They won't eat lunch.
7 It will snow tonight.
8 Will you borrow this book?
9 I won't plant those flowers.
10 Danny won't buy that pumpkin.

단어 TEST
✎ 워크북 162쪽

1	lucky	6	pillow
2	finger	7	world
3	history	8	delicious
4	building	9	popular
5	student	10	wonderful
11	부드러운	16	과목
12	달, 월	17	도시
13	가족	18	회사
14	유용한	19	신나는
15	도움이 되는	20	중요한

해석 TEST
✎ 워크북 163쪽

1 연필이 펜보다 더 유용하다.

2 그것은 한국에서 가장 높은 건물이다.

3 너의 귀걸이는 나의 것보다 더 예쁘다.

4 달팽이는 개미보다 더 천천히 움직인다.

5 Sam은 그 팀에서 최악의 선수이다.

6 수박은 오렌지보다 더 크다.

7 역사는 나에게 가장 흥미로운 과목이다.

8 1월은 일 년 중에서 가장 추운 달이다.

9 검은 가방은 빨간 가방보다 더 싸다.

10 New York은 세상에서 가장 신나는 도시다.

영작 TEST ①
✎ 워크북 164쪽

1 Your room is larger than hers.

2 Seoul is the busiest city in Korea.

3 Cars are more expensive than bicycles.

4 Your bag is the heaviest of the three.

5 The sun is bigger than the earth.

6 Science is more difficult than math.

7 He is the best singer in the world.

8 Today is hotter than yesterday.

9 It is the most famous company in France.

10 The book is the oldest in the world.

영작 TEST ②
✎ 워크북 165쪽

1 Busan is the most wonderful city in Korea.

2 His computer is worse than mine.

3 My son is the tallest in our family.

4 Ted is busier than Alex.

5 This pillow is the softest of the three.

6 David is luckier than you.

7 He is the best soccer player in Canada.

8 This finger is longer than that finger.

9 Time is more important than money.

10 Emily is the most popular student in her class.

단어 TEST
✎ 워크북 168쪽

1	full	6	healthy
2	hurt	7	fall
3	game	8	medicine
4	noisy	9	lose
5	thin	10	difficult
11	(시험에) 떨어지다	16	풀다
12	흐린	17	취소하다
13	가벼운	18	불행한
14	무서운	19	졸린
15	스페인어	20	운동하다

해석 TEST
✎ 워크북 169쪽

1 너는 말랐지만 힘이 세다.

2 비가 오고 있어서 그들은 축구를 하지 않았다.

3 밖이 시끄럽기 때문에 나는 잘 수 없다.

4 Brian은 산책을 하거나 자전거를 탈 것이다.

5 우리는 흐렸기 때문에 그 경기를 취소했다.

6 그녀는 펜, 연필, 그리고 자를 샀다.

7 Jenny는 매우 친절해서 나는 그녀를 좋아한다.

8 나는 금요일이나 일요일마다 공원에 간다.

9 그녀는 시험에 떨어졌기 때문에 울고 있었다.

10 그는 공원에 갔고 나는 해변에 갔다.

영작 TEST ①
✎ 워크북 170쪽

1 You can take a bus or a taxi.

2 His sister is pretty and smart.

3 The puzzle is difficult, but I can solve it.

4 I took the medicine because I had a headache.

5 I lost my bag, so I was sad.

6 The movie was boring but touching.

7 She turned off the heater because it was hot.

8 It snowed, so I made a snowman.

9 Eva eats a salad and milk for lunch.

10 Mike missed the bus because he got up late.

영작 TEST ②
✎ 워크북 171쪽

1 We were rich but unhappy.

2 I drank coffee because I was sleepy.

3 I fell yesterday, so I hurt my hand.

4 Eddy can speak English, Spanish, and Chinese.

5 My bag is heavy but his bag is light.

6 He canceled his party because he was sick.

7 They play soccer or basketball after school.

8 Tony exercises every day, so he is healthy.

9 I didn't eat dinner because I was full.

10 Sam bought a coat and I bought a shirt.

단어 TEST
✎ 워크북 174쪽

1	lazy	6	polite
2	friendly	7	slowly
3	question	8	foolish
4	throw	9	wise
5	easily	10	beautifully

11	장소	16	시큼한, 신
12	다채로운	17	유창하게
13	강아지	18	빠르게
14	놀라운	19	행복하게
15	사랑스러운	20	작가

해석 TEST
✎ 워크북 175쪽

1 너는 정말 친절하구나!

2 그는 정말 유명한 작가구나!

3 이것들은 정말 따뜻한 장갑이구나!

4 그들은 정말 아름답게 춤추는구나!

5 그것은 정말 긴 다리구나!

6 그 문제는 정말 어렵구나!

7 그들은 정말 용감한 군인들이구나!

8 그 기차는 정말 빠르게 달리는구나!

9 그 학생들은 정말 예의바르구나!

10 그것은 정말 멋진 장소구나!

영작 TEST ①
✎ 워크북 176쪽

1 What long hair she has!

2 How salty this soup is!

3 What an exciting game it is!

4 How beautiful the sky is!

5 What nice sunglasses those are!

6 How fluently you speak English!

7 What a comfortable sofa this is!

8 How soft these pillows are!

9 What wonderful paintings these are!

10 How slowly the snail moves!

영작 TEST ②
✎ 워크북 177쪽

1 What a colorful scarf it is!

2 How high you jump!

3 What lovely babies they are!

4 How wise your parents are!

5 What an amazing story it is!

6 How sour this lemon is!

7 How foolish you are!

8 What cute puppies they are!

9 How fast that (air)plane flies!

10 What a lazy boy he is!

단어 TEST
✎ 워크북 180쪽

1	far	6	tired
2	pass	7	show
3	picture	8	theater
4	library	9	expensive
5	problem	10	classroom
11	잊다	16	디저트
12	그림	17	선물
13	(물을) 끓이다	18	박물관
14	방문객	19	펭귄
15	데려오다, 가져오다	20	끝내다

해석 TEST
✎ 워크북 181쪽

1 매일 운동을 해라, 알았지?

2 Steve는 수영을 잘 못해, 그렇지?

3 그는 매우 피곤했어, 그렇지 않니?

4 교실을 청소하자, 그럴래?

5 그 박물관은 여기서 멀지 않아, 그렇지?

6 여기서 사진을 찍지 마라, 알았지?

7 Amy는 그 문제를 풀 수 없어, 그렇지?

8 지하철을 타지 말자, 그럴래?

9 너는 내일 캠핑을 갈 거야, 그렇지 않니?

10 Jane이 그 물을 끓였어, 그렇지 않니?

영작 TEST ①
✎ 워크북 182쪽

1 Call me tonight, will you?

2 Let's not ride a bike, shall we?

3 He has a sister, doesn't he?

4 You can speak Spanish, can't you?

5 You won't go to the theater, will you?

6 Don't forget my name, will you?

7 Let's eat cake for dessert, shall we?

8 They are in the library, aren't they?

9 She didn't pass the test, did she?

10 The present isn't expensive, is it?

영작 TEST ②
✎ 워크북 183쪽

1 This camera is yours, isn't it?

2 He can't swim, can he?

3 Clean your room, will you?

4 Let's finish our homework, shall we?

5 Lucy wasn't in her room, was she?

6 Your son broke that cup, didn't he?

7 Don't bring your dog, will you?

8 You don't like penguins, do you?

9 She will buy this painting, won't she?

10 Let's not eat dinner, shall we?

쓰면서 강해지는

초등
영문법

4

독해력을 키우는 **단계별·수준별** 맞춤 훈련!!

초등
국어

일등급 독해력

▶ 전 6권 / 각 권 본문 176쪽 · 해설 48쪽 안팎

| 수업 집중도를
높이는
교과서 연계 지문 | | 생각하는 힘을
기르는
수능 유형 문제 | | 독해의 기초를
다지는
어휘 반복 학습 |

≫ 초등 국어 독해, 왜 필요할까요?

● 초등학생 때 형성된 독서 습관이 모든 학습 능력의 기초가 됩니다.

● 글 속의 중심 생각과 정보를 자기 것으로 만들어 **문제를 해결하는 능력**은 한 번에 생기는 것이 아니므로, 좋은 글을 읽으며 차근차근 쌓아야 합니다.

엄마! 우리 반 **1등**은 **계산의 신**이에요.

초등 수학 100점의 비결은 **계산력!**

KAIST 출신 저자의

계산의 신 神

《계산의 신》 권별 핵심 내용		
초등 1학년	1권	자연수의 덧셈과 뺄셈 기본 (1)
	2권	자연수의 덧셈과 뺄셈 기본 (2)
초등 2학년	3권	자연수의 덧셈과 뺄셈 발전
	4권	네 자리 수 / 곱셈구구
초등 3학년	5권	자연수의 덧셈과 뺄셈 /곱셈과 나눗셈
	6권	자연수의 곱셈과 나눗셈 발전
초등 4학년	7권	자연수의 곱셈과 나눗셈 심화
	8권	분수와 소수의 덧셈과 뺄셈 기본
초등 5학년	9권	자연수의 혼합 계산 / 분수의 덧셈과 뺄셈
	10권	분수와 소수의 곱셈
초등 6학년	11권	분수와 소수의 나눗셈 기본
	12권	분수와 소수의 나눗셈 발전

매일 하루 두 쪽씩,
하루에 10분
문제 풀이 학습